COLLECTION
FOLIO CLASSIQUE

Franz Kafka

La Métamorphose

Texte présenté, traduit et annoté
par Claude David

Gallimard

PRÉFACE

Le thème de la métamorphose est aussi vieux que la littérature. L'Antiquité a eu ses métamorphoses, le Moyen Âge a eu les siennes. Le personnage est travesti, masqué, quelquefois, pour un temps limité, sous un aspect qui fait oublier sa forme ancienne. Il arrive que ce déguisement lui soit infligé comme une punition ou comme une vengeance des dieux. Mais dans tous les cas, la métamorphose se superpose à la nature véritable, qu'on n'oublie jamais tout à fait. Quand Kafka use de ce mot, il lui prête aussitôt un sens tout différent : la métamorphose révèle une vérité jusqu'alors méconnue, les conventions disparaissent, les masques tombent. Si la fable se prêtait au style fleuri, la métamorphose, au sens que Kafka lui donne, impose plus de rudesse. Le récit qui porte ce titre est un des plus pathétiques et des plus violents qu'il ait écrits ; les effets en sont soulignés à l'encre rouge, les péripéties ébranlent les nerfs du lecteur. En même temps et pour la même raison, la signification de l'histoire est sans ambiguïté : La Métamorphose, *en dépit des innombrables études qu'on lui a consacrées (en 1973, on en dénombrait déjà 128 !), est un des textes de Kafka qui prêtent le moins à contestation et, par conséquent, un des accès les plus commodes pour entrer dans son œuvre.*

Une première fois, en 1907 probablement, Kafka avait imaginé, dans le texte intitulé Préparatifs de noce à la campagne, *qui devait rester inédit du vivant de l'auteur, la transformation d'un homme en insecte. Le héros de l'histoire, Eduard Raban (déjà un pseudonyme calqué sur le nom de Kafka), hésite avant de se mettre en route pour un voyage à la campagne dont il attend peu de plaisir : « Ne puis-je pas faire comme je faisais toujours lorsque j'étais enfant, dans les affaires dangereuses ? Je n'ai même pas besoin de partir moi-même à la campagne, ce n'est pas nécessaire. J'y envoie mon corps couvert de mes vêtements [...]. Et moi, pendant ce temps-là, je suis couché dans mon lit, mollement recouvert d'un édredon marron clair, livré à la brise qui entre par la fenêtre entrouverte. » Et il continue : « Quand je suis comme cela couché dans mon lit, j'ai l'air d'un gros scarabée, un lucane ou un hanneton, je crois [...]. Oui, j'ai l'air d'un gros scarabée. Je serre mes petites pattes contre mon corps ventru. Et je chuchote un petit nombre de mots, ce sont les ordres que je donne à mon triste corps, qui est là tout contre moi, penché vers moi. J'en ai bientôt fini — il s'incline, il s'en va vivement et il va tout exécuter pour le mieux, tandis que je me reposerai. » Il n'est pas douteux que Kafka, quand il écrit* La Métamorphose, *se réfère mentalement à ce passage, écrit cinq ans plus tôt. Et pourtant, la même image recouvre des réalités fort différentes : dans* Préparatifs de noce, *le narrateur se débarrasse de son corps, il cherche refuge en épousant la forme d'un scarabée ; il est insecte, il est dispensé de réaliser ses promesses et ses projets. Dans* La Métamorphose, *au contraire, Gregor Samsa est prisonnier de son corps, un corps que soudain il ne reconnaît plus, mais qui constitue l'unique réalité. Toute évasion lui est désormais interdite : c'est le sujet même de l'histoire que Kafka nous raconte.*

On peut suivre jour après jour les circonstances de la rédaction de La Métamorphose. *Kafka les rapporte dans ses lettres à Felice Bauer. Il l'a rencontrée au mois de septembre 1912 et il a conçu aussitôt des projets d'avenir avec elle. Dans* Le Verdict, *qu'il compose dans la nuit du 22 au 23 du même mois, c'est elle qui figure au centre de l'histoire, même si Kafka ne l'accorde qu'à demi-mot. Dans* La Métamorphose, *en revanche, il n'y a plus de place pour elle. Les semaines ont passé ; l'inspiration, dont le retour l'avait, un bref moment, inondé de bonheur, est retombée ; il a vainement peiné pour donner à son roman américain, qui traîne depuis des mois, une forme qui lui convienne ; la charge de l'usine d'amiante, que son père lui a infligée et où il mesure chaque jour son incompétence, l'emplit de désespoir. Le 8 octobre, il écrit à Max Brod qu'il a été tenté de se jeter par la fenêtre. Et, dans la même lettre, il ajoute en post-scriptum, parlant de sa famille : « Et cependant, le matin venu, je n'ai pas le droit non plus de le passer sous silence, je les hais tous à tour de rôle ; je pense que, pendant ces quinze jours, j'aurai bien du mal à leur souhaiter le bonjour. Mais la haine — et de nouveau, cela se retourne contre moi — est évidemment mieux de l'autre côté de la fenêtre que tranquillement couchée sur un lit. » C'est cette haine, encore à moitié refoulée, qui va inspirer son nouveau récit. Il écrit à Felice, le 17 novembre : « Je veux transcrire une petite histoire, qui m'est venue à l'esprit en pleine détresse et qui m'obsède au plus profond de moi-même. » Une histoire, ajoute-t-il, « excessivement répugnante », dans laquelle il ne progresse qu'à grand-peine et que seule l'image de Felice, à l'horizon, permet de supporter : « Ces choses-là, vois-tu, sortent du même cœur que celui où tu loges et que tu tolères comme logement. N'en sois pas triste, car, qui sait, plus j'écris et plus je me libère, plus je serai pur, digne peut-être de toi, mais sûrement il y a en moi beaucoup de choses à jeter et les nuits ne seront jamais assez longues pour cette occupation, du reste voluptueuse au plus haut degré. » Il en va de la sorte jusqu'au 6 décembre, où Kafka écrit à Felice : « Pleure, chérie, pleure ! Le héros de ma petite histoire est mort, il y a un instant. Si cela doit te consoler, sache qu'il est mort assez paisiblement et réconcilié avec tous. »*

Entre Le Verdict *et* La Métamorphose, *à peine deux mois se sont écoulés. Les deux œuvres relèvent de la même esthétique et s'éclairent l'une par l'autre. Tout d'abord, les personnages ont un nom qui, dans le cas présent, rappelle celui de l'auteur ; plus tard, Kafka laissera plus volontiers les héros de ses récits dans l'anonymat. Il est manifeste que le narrateur, sans s'identifier à son héros, puisque celui-ci incarne précisément toute la partie de lui-même dont il voudrait s'affranchir, lui marque de la sympathie et verse des pleurs sur son destin. Gregor Samsa a des traits de caractère qu'il est aisé de décrire : c'est un employé modèle, un fils respectueux, toujours prêt à servir, tout le contraire d'un révolté, nullement enclin à perturber l'ordre de la société. Il est solitaire, insociable, inutile, coupé du monde. Kafka qui, plus tard, reniera la psychologie, lui réserve tout naturellement une place dans ces récits de 1912 : Gregor Samsa est tout le contraire d'un « homme sans qualités ». Il est encore conçu à la manière d'un personnage romanesque traditionnel. Et Kafka introduit, avant le début de l'action, une sorte de préhistoire, dans laquelle l'argent joue son rôle.*

Une sombre histoire de dettes, dont on sait peu de chose, a réduit le père à l'inaction et c'est désormais Gregor qui, par son travail, fait vivre la famille entière. On apprendra plus tard, dans le cours du récit, que le père s'est sournoisement constitué un pécule, en économisant sur les versements mensuels de Gregor. Le fantastique de la métamorphose laisse intact le cadre réaliste, l'évocation d'une famille de petite bourgeoisie, enfoncée dans la médiocrité du quotidien. Kafka s'évadera plus tard vers des paysages exotiques ou imaginaires. Ici, c'est le contact du fantastique et du quotidien qui donne son corps à l'histoire. Quant aux autres personnages, si ce ne sont pas des portraits d'après nature, on a tôt fait cependant de reconnaître dans le père, impulsif et violent, dans la mère, larmoyante et faible, dans la sœur Grete, en apparence charitable mais bientôt plus inhumaine que quiconque, des images empruntées à l'entourage familier de l'auteur. On a même pu montrer que la disposition des pièces chez les Samsa était identique à celle de la famille Kafka. Le vécu reste tout proche : le lecteur, bien entendu, l'ignore ; l'auteur, en revanche, ne l'oublie pas. Quant au héros Gregor Samsa, il n'en sait pas si long, c'est sa métamorphose qui va le révéler à lui-même et lui révéler, du même coup, la vérité des autres.

Déjà dans Le Verdict, *Georg Bendemann découvrait, au cours d'une conversation inopinée avec son père, la vérité de son cœur, toute une part de lâcheté, de mauvaise foi, de haine qu'il était parvenu jusqu'alors à se cacher ; il se croyait innocent et annonçait innocemment à son père son projet de mariage : le langage allait le trahir, et la condamnation à mort qu'on lui infligeait lui paraître si méritée qu'il courait aussitôt se noyer dans la rivière. Il en va de même dans* La Métamorphose *: Gregor n'a mis en cause jusqu'à présent ni son métier ni sa relation avec les siens ; tout va changer d'un coup.*

Et pourtant, quand il se découvre transformé en un immonde insecte, son étonnement ne dure qu'un instant ; il ne lui faut qu'un moment pour apprendre à manier ce corps qu'il connaît encore mal. Bientôt, il sait ouvrir une porte avec ses mandibules, il sait monter le long des murs et s'accrocher au plafond. Il ne s'indigne pas, il ne sait pas encore qu'il fait peur aux autres : s'il couche sous le canapé, c'est moins pour ménager ceux qui l'entourent que pour s'y installer à son aise. Il n'a plus d'appétit que pour les aliments corrompus, mais il accepte le goût nouveau en ne s'en étonnant qu'à peine.

La première partie du récit porte essentiellement sur le métier. Le fondé de pouvoir se rend personnellement chez Samsa pour connaître les raisons du retard de Gregor. C'est la première fois que celui-ci commet pareille faute ; et cependant, le représentant du patron menace aussitôt de le licencier ; il lui reproche la médiocrité des affaires qu'il a conclues ; il va jusqu'à met-

tre en question la probité de son employé. On s'est à bon droit étonné de cette rigueur. On a pensé que Kafka instruisait le procès d'une société mal faite ; le drame privé qui nous est conté ne serait que le déguisement d'un conflit social encore insuffisamment analysé. C'est la société qui serait responsable de l'aliénation dont Gregor Samsa est la victime. La Métamorphose serait une caricature de l'économie capitaliste. Certains sont allés plus loin : ils ont considéré le changement de Gregor en animal comme le chemin de son salut ; dans sa nouvelle condition, son moi, si longtemps prisonnier, pourrait enfin se libérer.

Où prend-on cependant que Gregor Samsa se soit jamais libéré ? Sa métamorphose l'enferme au contraire dans une solitude irrémédiable, dans une passivité plus grande encore qu'auparavant. Le métier est assurément une servitude ; Kafka l'a toujours éprouvé comme tel. Gregor Samsa, qui l'avait de tout temps pratiqué avec ennui, ne s'en détache cependant que le jour de sa métamorphose ; sa lassitude l'a emporté ce matin-là jusqu'à prendre faussement l'apparence d'une révolte.

Ce n'est pas la société dont Kafka instruit ici le procès. La société a ses pesanteurs, mais elle n'est pas monstrueuse. Le monstre est Gregor Samsa. La métamorphose est un châtiment imaginaire que Kafka s'inflige. On trahirait son intention, si on lui cherchait des excuses ou si l'on *imputait à d'autres les fautes dont il se sent coupable. On ne peut que se détourner de lui avec horreur. Il avait toujours été faible, mais la métamorphose a encore accru sa faiblesse. Toute communication avec lui est devenue impossible ; il est égoïste et immonde, même s'il ne peut mesurer à quel point il est devenu un objet de dégoût. Lui-même, qui ne se voit pas, cherche encore un contact avec autrui ; mais chacune de ses tentatives est l'occasion d'un désastre. Son père, sa mère, sa sœur, la femme de peine fuient également sa vue ; et le lecteur partage leur horreur ; la déformation de Gregor Samsa interdit toute compassion. Non qu'il ait renié tout sentiment humain, mais l'humanité est à ce point enfouie sous la carapace animale qu'on renonce aussitôt à la chercher.*

Et quand le fondé de pouvoir, à la fin de la première partie, aperçoit pour la première fois le monstre, dont il n'a fait jusqu'alors qu'entendre la voix déformée par une sorte de grognement animal, il se précipite dans le vestibule et descend quatre à quatre les marches de l'escalier. Cet incident marque dans le récit un moment de détente, qu'on pourrait à la rigueur qualifier de comique. Mais ce n'est pas la dernière scène de cette séquence : le père apparaît, saisit la canne du fondé de pouvoir et se jette sur Gregor qui, frappé par lui, perd son sang en abondance. Le grotesque, un instant frôlé, débouche à nouveau sur l'horrible. Le père se ré-

vèle, comme dans Le Verdict, *l'ennemi irréconciliable. De même, les trois pensionnaires de la dernière partie, tous trois barbus et semblables à des pantins que manœuvrerait un seul fil, introduisent dans* La Métamorphose *un élément de grotesque ; mais le grotesque doit rester discret et ne pas compromettre le tragique de l'histoire. La sympathie du lecteur se porte sur les parents et leur fille, tortionnaires innocents, et non sur Gregor, toujours relégué au-delà de la pitié, à un niveau inaccessible aux sentiments humains. Le narrateur, à la fois s'identifie à Gregor, dont il connaît les réactions, et l'accompagne dans sa chute ; parce qu'il est constamment à son côté, il ne tente aucune réhabilitation, dès le départ impossible.*

Avant le jour de sa métamorphose, Gregor Samsa, l'enfant sage, ignore apparemment presque tout de la sexualité. Une gravure qu'il avait découpée comme un collégien dans un magazine suffit à alimenter ses rêves érotiques : c'est la dame au manchon, pour laquelle il a fabriqué un cadre de bois et qu'il garde sous ses yeux dans sa chambre. Lorsque la famille décide de déménager celle-ci, apparemment pour aller au-devant de ce qu'on suppose être le désir de Gregor, mais avec le résultat de l'isoler encore davantage dans son mal, il se cramponne fiévreusement au fétiche qu'on s'apprête à lui retirer. Sous la forme animale, l'instinct s'est réveillé, mais il est en même temps dévié de son sens. Chaque élan sentimental, chaque marque de bonne volonté n'aboutit qu'à des désastres. La dernière passion qu'il éprouve encore est l'amour qu'il porte à sa mère ; mais, dès que celle-ci l'aperçoit, elle est prise de terreur et tombe en pâmoison. Gregor est celui qui ne peut plus être aimé, qui ne peut plus aimer. Il découvre devant lui sa mère, les cheveux dénoués, les jupes tombantes ; la chambre conjugale des parents est toute proche ; c'est le lieu de tous les interdits. Les thèmes œdipiens, refoulés jusqu'alors, envahissent, sinon la conscience de Gregor, du moins les pénombres de son esprit. Une ombre de freudisme s'étend sur le récit. Le lieu où sa métamorphose a confiné Gregor Samsa est celui où tout se confond, où les démons menacent, où la raison mesure son impuissance. De même, quand il entend, dans la dernière partie du récit, l'air de violon que joue sa sœur Grete à la demande des trois pensionnaires, l'âme de Gregor s'émeut ; il se précipite hors de sa chambre, comme à la recherche d'une « nourriture inconnue ». Mais, comme ses appétits alimentaires se portaient vers les choses corrompues, de même ses appétits spirituels étaient dévoyés. Ils ne se distinguaient plus de l'affection qu'il portait à sa sœur et celle-ci revêtait des formes quasi incestueuses ; il forme le projet de grimper jusqu'à son épaule et de l'embrasser dans le cou.

On ne peut même pas dire que Gregor aspire

à mourir, tant ses désirs sont devenus obscurs et confus. Il est presque conduit à la mort par la force des choses : la mort fait partie des régions nocturnes dans lesquelles il est enfermé. Et pourtant, c'est d'une blessure qu'il va mourir, une blessure qui lui a été infligée par son père. À la fin de la deuxième partie du récit, devant le spectacle de Gregor évadé de sa tanière, de la mère à demi évanouie, des fioles de pharmacie répandues sur le sol, le père, furieux, se livre à une véritable lapidation. Il bombarde Gregor de projectiles, l'un d'eux va se ficher dans la chair en y laissant une blessure inguérissable. Le fait que le père se serve de pommes et non de pierres ne retire rien au pathétique de la scène. Si l'on ne craignait pas de faire dévier le récit vers une formulation abstraite qui ne lui convient guère, on dirait que le dévergondage de l'âme, la régression vers l'instinct et le désordre sont châtiés par un sur-moi, dont le père est l'incarnation.

Ou peut-être faudrait-il dire, plus simplement, et en s'éloignant moins de la biographie de l'auteur, que le père, depuis toujours détesté, a fini par avoir raison de la faiblesse du fils.

On raconte que, lorsque Kafka donna lecture de son récit à quelques-uns de ses amis, tout le monde fut saisi d'un rire irrépressible. Ce ne pouvait être cependant que le rire qui permet de se libérer de l'oppression d'un cauchemar. Quelques éléments comiques ou grotesques, habile-

ment distribués dans le récit pour le rendre tolérable, ne peuvent dissimuler l'ampleur presque mythique du conflit qui se déroule dans cette obscure et médiocre famille de petite bourgeoisie.

Une fois son récit terminé — il l'accepte dans l'ensemble, mais en rejette la fin — Kafka ne se hâte pas de faire connaître son œuvre. C'est, comme d'habitude, Max Brod qui se charge de l'affaire. Il en parle à Franz Werfel, alors lecteur chez Kurt Wolff, qui justement prépare une édition du *Verdict*. Kurt Wolff presse Kafka de lui envoyer son manuscrit. « Ne croyez pas Werfel, lui répond cependant l'auteur, il ne connaît pas un mot de l'histoire. Je vous l'enverrai naturellement dès que je l'aurai fait mettre au net. » Le temps passe cependant, sans que rien se produise. Kafka suggère de réunir en volume trois de ses récits, qui traitent de la relation entre fils et pères : *Le Soutier* (le premier chapitre de *L'Amérique*, le seul dont il soit à peu près satisfait), *Le Verdict* et *La Métamorphose*. Il se ravise apparemment et cède aux instances de Robert Musil, qui lui demande son texte pour la *Neue Rundschau*, qu'il dirige. L'affaire semble conclue, quand l'éditeur de la revue, qui trouve le récit trop long, le refuse. Les tribulations continuent plus d'une année encore ; Kafka envisage un autre groupement qui, sous le titre de *Châtiments*, aurait réuni *La Métamorphose*, *Le Verdict* et *À la colonie pénitentiaire* ; tout échoue encore. C'est au moment où l'écrivain Carl

Sternheim, qui était fortuné, remet à Kafka le montant d'un prix qui venait de lui être décerné, que l'éditeur Kurt Wolff, profitant de cette occasion qui attire sur Kafka l'attention des milieux littéraires, décide de publier La Métamorphose *en volume, mais isolément. On est en novembre 1915*[1]*. Le livre ne passa pas tout à fait inaperçu et il faut rendre hommage à ceux qui, malgré la nouveauté du langage, furent sensibles à sa qualité. Aucun d'eux cependant n'alla jusqu'à en percevoir le sens. Un journaliste obscur, nommé Robert Müller, fut choqué par l'audace et l'invraisemblance de l'invention. Un autre critique, Oskar Walzel, historien réputé de la littérature, tenta au contraire, mais avec peu de bonheur, de rattacher le récit à la tradition. « Kafka, écrivait-il, touche plus notre cœur, parce qu'il reste plus près de la vie. » Il eût fallu en 1915 une pénétration peu commune pour comprendre que* La Métamorphose *ne cherchait pas à émouvoir le cœur et qu'elle était fort loin d'imiter la vie.*

CLAUDE DAVID

1. Le récit parut d'abord en revue en octobre 1915 dans les *Weisse Blätter*.

La Métamorphose

I

Lorsque Gregor Samsa[1] s'éveilla un matin au sortir de rêves agités[2], il se retrouva dans son lit changé en un énorme cancrelat[3]. Il était couché sur son dos, dur comme une carapace et, lorsqu'il levait un peu la tête, il découvrait un ventre brun, bombé, partagé par des indurations

1. Le nom de Samsa est manifestement calqué sur celui de Kafka. Ainsi se trouve confirmé dès le premier mot l'aspect « personnel » du récit. Plus tard, lorsque Kafka dénommera ses personnages « Joseph K. » ou « K. » ou lorsqu'il les laissera entièrement anonymes, il marquera au contraire la distance qu'il veut introduire entre ses héros et lui-même. Peut-être (mais ce n'est qu'une hypothèse) le prénom Gregor veut-il être l'anagramme presque parfaite de Georg, le nom du héros du *Verdict* (Folio classique nº 2017, p. 63), écrit quelques semaines plus tôt. Les deux personnages sont, en effet, à la fois parallèles et opposés : l'un et l'autre vont découvrir une part d'eux-mêmes que l'un (Georg) essayait de masquer à lui-même et aux autres et dont l'autre (Gregor) a la révélation soudaine. Georg triche pour ne laisser subsister que la partie conventionnelle, « sociale », acceptable, de lui-même ; Gregor, au contraire, fait tout à coup connaissance de ses enfers. L'un tente (inutilement) de monter, l'autre descend.

2. La première phrase du texte souligne que la métamorphose n'est pas un rêve, mais au contraire la découverte d'une réalité.

en forme d'arc, sur lequel la couverture avait de la peine à tenir et semblait à tout moment près de glisser. Ses nombreuses pattes pitoyablement minces quand on les comparait à l'ensemble de sa taille, papillotaient maladroitement devant ses yeux[1].

« Que m'est-il arrivé ? » pensa-t-il. Ce n'était pas un rêve. Sa chambre, une chambre humaine ordinaire, tout au plus un peu exiguë, était toujours là entre les quatre cloisons qu'il connaissait bien. Au-dessus de la table, sur laquelle était déballée une collection d'échantillons de lainages

---

Au commencement du deuxième paragraphe, le narrateur répète : « Ce n'était pas un rêve. » Kafka a plus d'une fois dénié le caractère onirique de ses récits.

3. L'insecte est bien un cancrelat (*Ungeziefer*), non une grosse punaise. Lorsque son récit fut imprimé, en 1915, Kafka insista d'ailleurs pour que l'insecte ne soit pas représenté dans le livre. La gravure publiée montre une porte à demi ouverte ; un homme se tient devant elle en se cachant le visage dans ses mains. Rappelons aussi qu'à la fin de la *Lettre à son père* (1919), Kafka, cédant la parole à son père, lui fait dire : « Il y a deux sortes de combat. Le combat chevaleresque, où les forces de deux adversaires indépendants se mesurent ; chacun reste seul, perd seul, gagne seul. Et le combat du cancrelat qui, non seulement pique, mais qui suce aussi le sang pour se maintenir en vie. C'est le véritable soldat de métier, et voilà ce que tu es. » Dans un autre passage de la même lettre, Kafka rappelle que son père avait coutume de dénommer « vermine » l'artiste juif Löwy, avec lequel Franz Kafka était lié d'amitié (voir Pléiade, t. IV, p. 880 et 840). En prêtant à son père le mot « cancrelat », pour le désigner lui-même, Kafka fait une allusion détournée au récit composé sept ans plus tôt.

1. On lit déjà dans *Préparatifs de noce à la campagne* (Pléiade, t. II, p. 84) : « Je presse mes petites pattes contre mon abdomen renflé. »

— Samsa était voyageur de commerce —, était accrochée la gravure qu'il avait récemment découpée dans une revue illustrée et qu'il avait installée dans un joli cadre doré. Elle représentait une dame, assise tout droit sur une chaise, avec une toque de fourrure et un boa, qui tendait vers les gens un lourd manchon, dans lequel son avant-bras disparaissait tout entier[1].

Le regard de Gregor se dirigea alors vers la fenêtre et le temps maussade — on entendait les gouttes de pluie frapper l'encadrement de métal — le rendit tout mélancolique. « Et si je continuais un peu à dormir et oubliais toutes ces bêtises », pensa-t-il, mais cela était tout à fait irréalisable, car il avait coutume de dormir sur le côté droit et il lui était impossible, dans son état actuel, de se mettre dans cette position. Il avait beau se jeter de toutes ses forces sur le côté droit, il rebondissait sans cesse sur le dos. Il essaya bien une centaine de fois, en fermant les yeux pour ne pas être obligé de voir s'agiter ses petites pattes, et n'arrêta que quand il commença à éprouver sur le côté une vague douleur sourde, qu'il ne connaissait pas encore.

« Ah, mon Dieu », pensa-t-il, « quel métier exténuant j'ai donc choisi ! Jour après jour en voyage. Les ennuis professionnels sont bien plus

1. Dès le début apparaît l'image de la dame au manchon, symbole de la sexualité refoulée de Gregor Samsa, et préparant l'épisode de la page 81.

grands que ceux qu'on aurait en restant au magasin et j'ai par-dessus le marché la corvée des voyages, le souci des changements de trains, la nourriture irrégulière et médiocre, des têtes toujours nouvelles, jamais de relations durables ni cordiales avec personne. Le diable emporte ce métier[1] ! » Il sentit une légère démangeaison sur le haut du ventre, se glissa lentement sur le dos pour se rapprocher du montant du lit, afin de pouvoir lever la tête plus commodément ; il trouva l'endroit de la démangeaison recouvert d'une masse de petits points blancs, dont il ignorait la nature ; il voulut tâter l'emplacement avec une de ses pattes, mais il la retira aussitôt, car le contact lui donnait des frissons[2].

Il se laissa glisser dans sa position antérieure. « On devient complètement stupide », pensa-t-il, « à se lever d'aussi bonne heure. L'homme a besoin de sommeil. Il y a d'autres voyageurs qui vivent comme les femmes de harem. Quand je retourne par exemple à l'auberge au cours de la matinée pour recopier les commandes que j'ai reçues, ces messieurs n'en sont qu'à leur petit déjeuner. Il ferait beau que j'en fisse de même avec

1. On voit à quel point la métamorphose dont Gregor Samsa est l'objet répond en lui à un désir secret.

2. Le corps inconnu et éprouvé comme imprévisible. Image outrée d'une hypocondrie qui n'était pas étrangère au psychisme de Kafka. Ce n'est d'ailleurs ici qu'un premier temps ; la sensation d'étrangeté disparaîtra vite, Gregor se sentira promptement réconcilié avec son corps.

mon patron ; je sauterais immédiatement. Qui sait d'ailleurs si ce n'est pas ce qui pourrait m'arriver de mieux ? Si je ne me retenais pas à cause de mes parents, j'aurais donné ma démission depuis longtemps[1], je serais allé voir le patron et je lui aurais vidé mon sac. Il en serait tombé du haut de son bureau ! Quelle habitude aussi de se percher sur le bord du comptoir et de haranguer de là-haut ses employés ! Surtout quand on est dur d'oreille comme le patron et qu'on oblige les gens à s'approcher tout près ! Enfin, tout espoir n'est pas perdu ; quand j'aurai réuni l'argent nécessaire pour rembourser la somme que mes parents lui doivent — cela demandera bien cinq ou six ans[2] —, c'est certainement ce que je ferai. Et alors, point final et on tourne la page. Mais, en attendant, il faut que je me lève, car mon train part à cinq heures. »

1. Il y avait donc un élément de révolte chez Gregor Samsa, mais il avait été vite étouffé. Il lui avait substitué des triomphes imaginaires sur son patron, qui ne faisaient qu'illustrer sa faiblesse.

2. On connaîtra plus loin (p. 66) l'origine de cette situation : l'entreprise que possédait le père de Gregor avait fait faillite cinq ans plus tôt et il avait fallu emprunter de l'argent à l'actuel patron de Gregor. Ce dernier pensait que cette dette n'était pas encore éteinte. En fait, comme il le découvrira plus tard, tout n'avait pas été perdu lors de la faillite ; le père dissimulait dans un petit coffre-fort ce qu'il avait pu sauver du désastre. Gregor était donc seul à faire vivre la famille, ce qu'il acceptait sans révolte et même avec fierté. La haine du fils envers le père n'apparaît qu'à peine dans le récit ; les sentiments de Kafka envers sa famille étaient beaucoup moins nuancés.

Et il regarda du côté du réveil, dont on entendait le tic-tac sur la commode. « Dieu du ciel », pensa-t-il. Il était six heures et demie et les aiguilles continuaient tranquillement à tourner, il était même la demie passée et on n'était pas loin de sept heures moins le quart. Le réveil par hasard n'aurait-il pas sonné ? On pouvait voir du lit qu'il était bien réglé sur quatre heures, comme il convenait ; il avait certainement sonné. Mais alors, comment Gregor avait-il pu dormir tranquille avec cette sonnerie à faire trembler les meubles ? Non, son sommeil n'avait certes pas été paisible, mais sans doute n'avait-il dormi que plus profondément. Que faire maintenant ? Le prochain train partait à sept heures ; pour l'attraper encore, il aurait fallu se précipiter comme un fou, la collection n'était même pas empaquetée et enfin, il ne se sentait pas particulièrement frais et dispos. Et d'ailleurs, même s'il parvenait encore à attraper ce train-là, une algarade du patron était inévitable, car le garçon de courses avait attendu Gregor au train de cinq heures et avait certainement déjà depuis longtemps prévenu tout le monde de son retard. C'était une créature du patron, un individu sans épine dorsale et sans le moindre soupçon d'intelligence. S'il se faisait porter malade ? Mais c'eût été désagréable et cela eût paru suspect, car, depuis cinq ans qu'il était en service [1], il n'avait pas été malade une seule fois. Le

1. Il y avait, en 1912, cinq ans que Kafka avait une activité professionnelle. Lui-même rappelle dans une lettre à Felice (nuit

patron arriverait certainement, accompagné du médecin des assurances, il ferait des reproches aux parents à cause de la paresse de leur fils et couperait court à toutes les objections en se référant au médecin des assurances, pour lequel il n'y avait pas de malades, mais seulement des gens qui n'avaient pas envie de travailler[1]. D'ailleurs, aurait-il eu tellement tort en l'occurrence ? En dépit d'une somnolence, dont on se serait bien passé après toutes ces heures de sommeil, Gregor se sentait en excellent état ; il avait même une faim de loup.

Comme il retournait en toute hâte ces pensées dans sa tête sans pouvoir se décider à quitter son lit, on frappa prudemment à la porte située à côté de son chevet, au moment où le réveil sonnait les trois quarts. « Gregor ! » disait-on — c'était sa mère — « il est sept heures moins le quart. N'avais-tu pas l'intention de prendre le train ? » Oh ! la douce voix ! Gregor prit peur en s'entendant répondre. C'était bien sa voix, incontestablement, mais il s'y mêlait, comme venant d'en

du 17 au 18 novembre 1912, Pléiade, t. IV, p. 65) que, depuis cinq ans qu'il mène la vie de bureau, il n'est pas parvenu à dominer l'énervement que celle-ci provoque en lui. De même, il est question (p. 59) de la chambre que Grégoire occupe depuis cinq ans : c'est en 1907, en effet, qu'avait eu lieu également l'emménagement de la famille Kafka dans la Niklasstrasse.

1. De telles phrases ont pu faire penser qu'il y avait chez Kafka les éléments d'une critique sociale. Mais elle ne joue dans ce récit qu'un rôle infime.

dessous, une sorte de piaulement douloureux, irrépressible ; au premier moment, on reconnaissait correctement les mots, mais tout se brouillait ensuite, au point qu'on se demandait si l'on avait bien entendu. Gregor voulait répondre en détail et tout expliquer ; mais, dans ces conditions, il se contenta de répondre : « Si, si, merci, mère. Je me lève tout de suite. » Il était apparemment impossible à travers le bois de la porte de remarquer son changement de voix, car la mère de Gregor fut rassurée par cette explication et s'éloigna en traînant la savate. Mais cette brève conversation avait alerté les autres membres de la famille sur le fait que Gregor, contre toute attente, était encore là et son père s'était mis à frapper à l'une des portes latérales, doucement, mais avec le poing : « Gregor, Gregor », criait-il, « que se passe-t-il donc ? » Et au bout d'un moment, il le rappelait de nouveau à l'ordre d'une voix plus grave : « Gregor ! Gregor ! » À une autre porte latérale, la sœur du jeune homme disait doucement, d'une voix plaintive : « Gregor ! Es-tu malade ? As-tu besoin de quelque chose ? » Gregor répondit des deux côtés à la fois : « Je suis prêt dans une minute », en s'efforçant d'articuler distinctement et en laissant de grands intervalles entre les mots pour dissimuler la singularité de sa voix [1]. Le père retourna d'ail-

1. À ce moment de sa métamorphose, Gregor, encore conscient et honteux des modifications de son corps, cherche à les dissimuler.

leurs à son petit déjeuner, mais la sœur murmurait : « Ouvre, Gregor, je t'en conjure. » Mais Gregor ne songeait pas à ouvrir, il se félicita de la précaution qu'il avait prise, à force de voyager, de fermer toujours les portes à clef, même chez lui.

Il voulait d'abord se lever tranquillement, sans être gêné par personne, s'habiller et surtout prendre son petit déjeuner ; il serait temps ensuite de réfléchir, car il comprenait bien qu'en restant couché, il ne parviendrait pas à trouver une solution raisonnable. Il se rappela avoir souvent éprouvé au lit, peut-être à la suite d'une mauvaise position, une légère douleur, qui s'était ensuite révélée imaginaire au moment du réveil ; et il était curieux de voir si ses impressions d'aujourd'hui allaient, elles aussi, peu à peu se dissiper. Quant à la transformation de sa voix, il ne doutait pas un instant que ce fût seulement le signe prémonitoire d'un bon rhume, la maladie professionnelle des voyageurs de commerce.

Il n'eut aucun mal à rejeter la couverture ; il lui suffit de se gonfler un peu et elle tomba d'elle-même. Mais ensuite les choses se gâtèrent, surtout à cause de sa largeur insolite. Il aurait fallu s'aider des bras et des mains pour se redresser ; mais il n'avait que de petites pattes qui n'arrêtaient pas de remuer dans tous les sens et sur lesquelles il n'avait aucun moyen d'action. S'il voulait plier l'une d'entre elles, elle commençait par s'allonger ; et s'il parvenait enfin à faire faire à cette patte ce qu'il voulait, toutes les autres, abandonnées à elles-mêmes, se livraient aussitôt à une vive agitation des plus pénibles. « Surtout, ne pas rester inutilement au lit », se dit-il.

Il voulut d'abord sortir du lit par le bas du corps, mais cette partie inférieure de son corps, que d'ailleurs il n'avait encore jamais vue et dont il ne parvenait pas à se faire une idée précise, s'avéra trop difficile à mouvoir ; tout cela bougeait si lentement ; et quand enfin, exaspéré, il se poussa brutalement de toutes ses forces en avant, il calcula mal sa trajectoire et vint se heurter violemment à l'un des montants du lit, et la douleur cuisante qu'il éprouva lui fit comprendre que la partie inférieure de son corps était peut-être pour l'instant la plus sensible.

Il essaya donc de sortir d'abord par le haut et tourna la tête avec précaution vers le bord du lit. Il y parvint sans peine et la masse de son corps, malgré sa largeur et son poids, finit par suivre lentement les mouvements de sa tête. Mais lorsque la tête fut entièrement sortie à l'air libre, il eut peur de continuer à progresser de cette manière ; car, s'il se laissait tomber de la sorte, ç'eût été un miracle qu'il ne se fracassât pas le crâne. Et ce n'était certes pas le moment de perdre ses moyens. Mieux valait encore rester au lit.

Mais quand, après s'être donné à nouveau le même mal, il se retrouva en soupirant dans la même position et qu'il vit à nouveau ses petites pattes se livrer bataille avec plus de violence encore qu'auparavant, sans trouver aucun moyen de rétablir un peu d'ordre et de calme dans toute cette confusion, il se dit derechef qu'il lui était absolument impossible de rester au lit et que le plus raisonnable était encore de tout risquer, s'il subsistait un espoir, si léger soit-il, de sortir ainsi du lit. Ce qui ne l'empêchait pas de se rappeler, de temps à autre, que la réflexion et le sang-froid valent mieux que les résolutions désespérées. À ces moments-là, il fixait ses regards aussi fermement qu'il le pouvait sur la fenêtre ; mais malheureusement le brouillard du matin noyait tout, jusqu'au bord opposé de l'étroite ruelle et il y avait peu d'encouragement et d'espoir à attendre de ce côté-là. « Sept heures ! », pensa-t-il en entendant à nouveau la sonnerie du réveil, « et le brouillard n'a pas diminué », et il resta couché un moment immobile en retenant son souffle, comme s'il espérait que le calme total allât rendre à toute chose son évidence coutumière[1].

Mais il se dit ensuite : « Avant que ne sonne huit heures un quart, il faut absolument que j'aie

1. Le regard jeté sur la fenêtre pour s'appuyer à un point de référence solide, la volonté de retrouver en toute chose « son évidence coutumière », éclairent le sens de la métamorphose dont Gregor est victime : il s'interroge, non seulement sur lui-même, mais aussi sur le sens du monde, il a perdu toute certitude et toute sécurité. On en peut dire autant de Joseph K. dans *Le Procès*.

quitté le lit. Quelqu'un du magasin sera d'ailleurs venu demander de mes nouvelles, car ils ouvrent avant sept heures ! » Et il se mit à balancer son corps de tout son long d'un mouvement régulier pour le sortir du lit. S'il se laissait tomber de cette façon, il pourrait sans doute éviter de se blesser la tête, pourvu qu'il la tînt bien droite au moment de la chute. Son dos semblait dur et il ne se passerait probablement rien lorsqu'il toucherait le tapis. Sa principale inquiétude venait du grand bruit qu'il ferait sans doute et qui, même à travers les portes closes, pouvait provoquer sinon de l'effroi, du moins de l'inquiétude. Mais il fallait risquer.

Lorsque Gregor eut à moitié émergé du lit — la nouvelle méthode était plus un jeu qu'un effort, il suffisait de se balancer —, il se mit à penser que tout aurait été facile si on était venu l'aider. Deux personnes vigoureuses — il pensait à son père et à la bonne — auraient amplement suffi : elles auraient passé les bras sous son dos bombé, l'auraient extrait du lit, se seraient penchées avec leur fardeau et auraient simplement attendu patiemment qu'il rebondisse de lui-même sur le sol, où l'on pouvait espérer que les petites pattes eussent rempli leur office. Mais, outre que les portes étaient fermées, aurait-il dû vraiment appeler à l'aide ? En dépit de tout son malheur, il avait de la peine, à cette idée, à réprimer un sourire.

Il en était déjà si loin dans l'opération que, même en accentuant le mouvement de balancement, il parvenait difficilement à garder l'équilibre ; il lui fallait prendre une décision définitive, car dans cinq minutes il serait huit heures un quart ; mais soudain il entendit sonner à la porte de l'appartement. « C'est quelqu'un du magasin », se dit-il, et il resta figé sur place, tandis que ses petites pattes s'agitaient plus frénétiquement encore. Tout resta un moment silencieux. « Ils n'ouvrent pas », se dit Gregor, pris d'un espoir insensé. Mais aussitôt, la bonne se dirigea comme toujours de son pas ferme vers la porte et l'ouvrit. Il suffit à Gregor d'entendre les premiers mots du visiteur pour comprendre de qui il s'agissait : c'était le fondé de pouvoir en personne. Pourquoi fallait-il que Gregor fût condamné à travailler dans une affaire où, au moindre manquement, on concevait aussitôt les pires soupçons ? Les employés étaient-ils donc tous sans exception des fripons ? N'y avait-il parmi eux aucun de ces serviteurs fidèles et dévoués qui, s'il leur arrivait un matin de laisser passer une ou deux heures sans les consacrer au magasin, fussent aussitôt saisis de remords insensés au point de ne pas pouvoir se lever de leur lit ? N'aurait-il pas suffi d'envoyer un apprenti aux renseignements — à supposer qu'un interrogatoire parût même nécessaire — ; fallait-il que le fondé de pouvoir vînt lui-même, afin de montrer à toute la famille innocente que l'éclaircissement de cette scabreuse affaire ne pouvait être confié qu'à la perspicacité d'un fondé de pouvoir[1] ? Et à cause de l'agacement que produisaient en lui toutes ces réflexions plutôt que par l'effet d'une véritable décision, il se jeta de toutes ses forces hors du lit. Il y eut un choc, mais non à proprement parler un fracas. La chute avait été un peu amortie par le tapis et le dos était sans doute plus élastique que Gregor ne l'avait tout d'abord pensé ; toujours est-il que le bruit resta assez sourd pour ne pas trop appeler l'attention. Il n'avait simplement pas assez pris garde à sa tête, qui alla se cogner quelque part ; il la tourna de côté et, de dépit et de souffrance, la frotta contre le tapis.

« Il y a quelque chose[2] qui vient de tomber », dit le fondé de pouvoir dans la pièce de gauche. Gregor chercha à imaginer s'il ne pourrait pas un jour advenir au fondé de pouvoir une aventure semblable à la sienne ; c'était au moins une éventualité qu'on ne pouvait pas écarter. Mais, en guise de réponse brutale à cette question, on

1. Tout ce passage met évidemment en cause la sévérité avec laquelle sont traités les employés de la maison de commerce. Mais il traduit surtout le désarroi de Gregor devant une situation qu'il a cessé de comprendre. Lui-même s'attribue encore comme un mérite le fait d'être bourrelé de remords à cause de son retard. Ce n'est pas sa « faute » qu'il remet en question, mais un ordre du monde dont il se sent séparé.

2. Premier moment dans la transformation de Gregor en chose.

entendit dans la pièce d'à côté le fondé de pouvoir avancer de quelques pas d'un air décidé en faisant craquer ses souliers vernis. Et dans la pièce de droite, la sœur disait à voix basse pour avertir Gregor : « Le fondé de pouvoir est là. » « Je sais », dit Gregor à part lui, mais il n'osa pas élever suffisamment la voix pour que sa sœur pût l'entendre.

« Gregor », disait maintenant le père dans la pièce de gauche, « M. le fondé de pouvoir est arrivé et veut savoir pourquoi tu n'es pas parti par le premier train. Nous ne savons que lui dire. Il veut d'ailleurs te parler personnellement. Ouvre donc la porte, s'il te plaît. Il aura la bonté d'excuser le désordre de ta chambre. » « Bonjour, monsieur Samsa », disait aimablement le fondé de pouvoir dans le même temps. « Il est malade », disait la mère au fondé de pouvoir, tandis que le père continuait à parler à la porte, « il est malade, croyez-moi, monsieur le fondé de pouvoir. Autrement, comment Gregor aurait-il fait pour manquer un train ? C'est un garçon qui n'a rien d'autre en tête que son métier. Je suis même contrariée qu'il ne sorte jamais le soir ; il vient de passer huit jours à la ville, eh bien, aucun soir il n'a quitté la maison. Il reste à table avec nous à lire tranquillement le journal ou à étudier les indicateurs. Sa plus grande distraction, c'est un peu de menuiserie. Dernièrement, il a fabriqué un petit cadre [1] en deux ou trois soirées ;

1. Il s'agit évidemment du cadre de la « dame au manchon ».

vous auriez peine à croire comme c'est joli ; il l'a accroché dans sa chambre. Vous allez le voir dès qu'il aura ouvert sa porte. Je suis d'ailleurs heureuse que vous soyez là, monsieur le fondé de pouvoir ; à nous seuls, nous n'aurions pas pu décider Gregor à ouvrir sa porte ; il est si têtu ; et il est certainement malade, bien qu'il ait prétendu le contraire ce matin. » « J'arrive tout de suite », dit Gregor avec une lenteur circonspecte ; mais il restait immobile pour ne pas perdre un mot de la conversation. « Je ne puis en effet m'expliquer la chose autrement, madame », dit le fondé de pouvoir, « j'espère que ce n'est rien de grave. Encore que je doive ajouter que nous autres gens d'affaires, nous sommes souvent malheureusement obligés — ou heureusement, si vous voulez — de négliger par conscience professionnelle une petite indisposition. » « Alors, vas-tu maintenant laisser entrer M. le fondé de pouvoir ? », demanda le père avec impatience, en frappant à nouveau à la porte. « Non », dit Gregor. Dans la pièce de gauche, il se fit un pénible silence, dans la pièce de droite, la sœur se mit à sangloter.

Pourquoi la sœur n'allait-elle pas rejoindre les autres ? Elle venait probablement de sortir tout juste du lit et n'avait pas commencé à s'habiller. Et pourquoi donc pleurait-elle ? Parce qu'il ne se levait pas pour ouvrir au fondé de pouvoir, parce qu'il risquait de perdre son poste, parce que le patron allait demander de nouveau à ses parents le paiement de leur dette ? C'étaient là provisoirement des soucis inutiles. Gregor était encore là et ne songeait pas le moins du monde à abandonner sa famille. Pour l'instant, il est vrai, il était là, couché sur le tapis et, en le voyant dans cet état, personne n'aurait pu exiger sérieusement qu'il fasse entrer le fondé de pouvoir. Mais ce n'était pourtant pas à cause de ce petit manque de courtoisie, pour lequel on trouverait plus tard facilement une excuse, qu'on allait mettre Gregor à la porte. Et Gregor avait l'impression qu'il serait beaucoup plus raisonnable pour l'instant de le laisser tranquille, plutôt que de l'accabler de larmes et d'exhortations. Mais c'était l'incertitude qui les angoissait ainsi et qui excusait leur attitude.

Maintenant, le fondé de pouvoir élevait la voix : « Monsieur Samsa », criait-il, « que se passe-t-il ? Vous vous barricadez dans votre chambre, vous ne répondez que par oui et par non, vous causez inutilement de grands soucis à vos parents et vous négligez vos obligations professionnelles, soit dit en passant, d'une façon proprement inouïe. Je parle ici au nom de vos parents et de votre directeur et je vous prie très sérieusement de nous donner à l'instant même une explication claire[1]. Je suis étonné, très

1. Les propos du fondé de pouvoir paraissent, une fois encore, hors de proportion avec la faute apparente de Gregor. Mais il exige une « explication claire » ; or, c'est justement ce que Gregor

étonné. Je croyais vous connaître comme un homme calme et raisonnable et voilà que tout à coup vous semblez vouloir vous faire remarquer par vos extravagances. Le directeur suggérait bien, ce matin, une explication possible de votre absence — il s'agit des encaissements qu'on vous a confiés depuis quelque temps —, mais je lui ai presque donné ma parole que cette explication ne pouvait pas être la bonne. Mais maintenant, je suis témoin de votre incompréhensible entêtement et cela m'ôte tout désir de prendre en quoi que ce soit votre défense. Et votre situation n'est pas du tout des plus solides. J'avais d'abord l'intention de vous dire cela en tête à tête, mais, puisque vous me faites perdre mon temps inutilement, je ne vois plus pourquoi monsieur votre père et madame votre mère ne l'entendraient pas, eux aussi. Sachez donc que vos résultats n'ont pas du tout été satisfaisants ces derniers temps ; ce n'est pas évidemment une saison propice aux affaires, nous sommes tout prêts à le reconnaître. Mais une saison sans affaires du tout, cela n'existe pas, monsieur Samsa, cela ne doit pas exister. »

« Mais, monsieur le fondé de pouvoir », s'écria Gregor hors de lui, tandis que son émo-

---

ne peut pas donner ; sa situation est de celles sur lesquelles la raison est entièrement sans pouvoir. Derrière la scène « réaliste » se profile un dialogue impossible entre la raison et une réalité qui lui échappe.

tion lui faisait oublier tout le reste, « je vous ouvre tout de suite, je vous ouvre à l'instant même. Une légère indisposition, un accès de vertige, m'ont empêché de me lever. Je suis encore au lit. Mais maintenant je me sens à nouveau frais et dispos. Je viens de sortir du lit. Encore un petit instant de patience ! Cela ne va pas encore aussi bien que je pensais. Mais je me sens déjà tout à fait bien. Comme ces choses arrivent brusquement ! Hier soir, j'allais très bien, mes parents le savent. Ou plutôt, déjà hier soir, j'ai eu un petit pressentiment. On aurait dû s'en rendre compte. Pourquoi n'ai-je pas prévenu au magasin ? Mais on imagine toujours qu'on peut venir à bout du mal sans garder la chambre. Monsieur le fondé de pouvoir, épargnez mes parents ! Tous les reproches que vous venez de me faire sont dénués de fondement ; on ne m'en avait jamais parlé. Peut-être n'avez-vous pas lu les dernières commandes que je vous ai envoyées. D'ailleurs, je vais partir par le train de huit heures ; ce repos de quelques heures m'a rendu toutes mes forces. Ne perdez pas votre temps, monsieur le fondé de pouvoir ; dans un instant, je serai au magasin, ayez l'obligeance de le dire au directeur et de lui présenter mes devoirs[1]. » En tenant précipitam-

1. Gregor Samsa mélange les temps. Il mêle le mensonge à la vérité (il n'avait eu la veille aucun pressentiment ; il n'avait aucunement le projet de se rendre au magasin). Ces incohérences sont en lui les dernières lueurs de raison.

ment ces propos et sans trop savoir ce qu'il disait, Gregor s'était sans trop de difficulté rapproché de la commode, sans doute en tirant profit de l'expérience qu'il avait acquise dans son lit et il essayait de se redresser en prenant appui sur le meuble. Il voulait en effet ouvrir la porte, il voulait se faire voir et parler au fondé de pouvoir ; il était curieux de savoir ce que tous ces gens qui exigeaient sa présence allaient dire en le voyant. S'il les effrayait, il cessait d'être responsable et pouvait être tranquille, et s'ils prenaient bien la chose, il n'avait aucune raison de s'inquiéter et pouvait fort bien être à huit heures à la gare, s'il se dépêchait. Il dérapa d'abord plusieurs fois de la commode glissante ; mais, en prenant un dernier élan, il parvint à se lever. Il ne prêtait plus attention à ses douleurs dans le bas-ventre, bien qu'elles fussent très vives. Il se laissa tomber sur le dossier d'une chaise qui était à proximité et se retint en s'agrippant sur les bords avec ses petites pattes. Ce faisant, il avait repris le contrôle de lui-même et il restait silencieux, car il était maintenant en mesure d'écouter le fondé de pouvoir.

« Avez-vous pu comprendre le moindre mot ? », demandait celui-ci aux parents. « Ne serait-il pas tout bonnement en train de nous prendre pour des imbéciles ? » « Mon Dieu », s'écriait la mère au milieu des larmes, « il est peut-être gravement malade et nous le mettons à la torture. Grete ! Grete ! », cria-t-elle ensuite.

« Maman ? » s'écria la sœur de l'autre côté. Elles s'interpellaient à travers la chambre de Gregor. « Va tout de suite chercher le médecin. Gregor est malade. Vite chez le médecin ! Tu as entendu comment Gregor parle ? » « C'était une voix de bête », dit le fondé de pouvoir — on s'étonnait, après les cris de la mère, de l'entendre parler si bas. « Anna ! Anna ! » criait le père dans la cuisine à travers le vestibule en frappant dans ses mains, « va immédiatement chercher un serrurier ! » Et déjà les deux jeunes filles traversaient le vestibule dans un froissement de jupes — comment Grete avait-elle fait pour s'habiller si vite ? — et ouvraient précipitamment la porte d'entrée ; on ne l'entendit pas retomber, elles avaient dû la laisser ouverte, comme on fait dans les maisons où s'est produit un grand malheur.

Mais Gregor était devenu beaucoup plus calme. On ne comprenait plus ce qu'il disait, bien que ses propos lui parussent clairs, plus clairs que la première fois, probablement parce que son oreille s'y était faite. Mais on se rendait compte au moins qu'il n'allait pas pour le mieux et on s'apprêtait à lui venir en aide. L'assurance et la confiance avec laquelle les premières mesures avaient été prises le réconfortaient. Il se sentait ramené dans le cadre de la société humaine et il attendait des deux personnes, du médecin et du serrurier, sans bien faire la différence entre les deux, des performances grandioses et miraculeuses. Afin d'avoir, dans les conciliabules qui se préparaient, une voix aussi claire que possible, il toussa un peu pour se dégager la gorge, tout en s'efforçant de le faire modérément, car il était possible que déjà ce bruit fût différent d'une toux humaine ; il n'osait plus en décider par ses propres moyens. Dans la pièce d'à côté, tout était cependant devenu silencieux. Peut-être ses parents étaient-ils assis à table à chuchoter avec le fondé de pouvoir, peut-être étaient-ils tous penchés à la porte pour écouter.

Gregor se traîna lentement avec sa chaise jusqu'à la porte ; là il abandonna le siège, se jeta sur la porte, se maintint debout en s'appuyant contre elle — le bout de ses pattes sécrétait une substance collante — et resta là un instant, à se reposer de son effort. Après quoi, il essaya avec sa bouche de tourner la clef dans la serrure. Il semblait malheureusement qu'il n'eût pas de vraies dents — avec quoi, dès lors, saisir la clef ? — ; en revanche, il avait des mandibules très robustes ; il parvint grâce à elles à mouvoir la clef, en négligeant le fait qu'il était certainement en train de se blesser, car un liquide brunâtre lui sortait de la bouche, coulait sur la clef et tombait goutte à goutte sur le sol. « Écoutez », disait le fondé de pouvoir dans la pièce d'à côté, « il est en train de tourner la clef. » Ce fut pour Gregor un grand encouragement, mais tous auraient dû crier avec lui, même son père et sa mère : « Hardi, Gregor », auraient-ils dû crier, « vas-y, attaque-toi à la serrure ! » Et à l'idée que tout le monde suivait passionnément ses efforts avec une vive attention, il s'accrochait aveuglément à la clef, de toutes les forces qu'il pouvait trouver en lui. À mesure que la clef tournait, il dansait autour de la serrure ; tantôt il se maintenait simplement debout grâce à sa bouche, tantôt, selon l'exigence de l'instant, il se suspendait à la clef ou la tirait en bas de tout le poids de son corps. Le bruit plus clair que fit la serrure quand le pêne finit par céder, réveilla Gregor tout à fait. « J'ai donc pu me passer du serrurier », se dit-il, et il posa la tête sur la clenche pour finir d'ouvrir.

En manœuvrant la porte de cette manière, elle se trouva grande ouverte sans qu'on pût encore l'apercevoir. Il lui fallait contourner lentement l'un des battants avec les plus grandes précautions, s'il ne voulait pas retomber lourdement sur le dos, juste au moment de son entrée dans la pièce. Il était encore tout occupé à ce mouvement difficile, en ne pouvant prêter d'attention à rien d'autre, quand il entendit le fondé de pouvoir pousser un « Oh ! » sonore — on eût dit le mugissement du vent — et il le vit, lui qui était le plus près de la porte, appuyer la main sur sa bouche ouverte et battre lentement en retraite, comme si une force invisible et constante, toujours égale à elle-même, le chassait de cet endroit. Sa mère, dont la chevelure, en dépit de la présence du fondé de pouvoir, avait gardé tout le désordre de la nuit et se hérissait vers le haut de la tête, regarda d'abord le père en joignant les mains, puis fit deux pas vers Gregor et tomba au milieu de ses jupons déployés autour d'elle ; son visage, penché sur sa poitrine, avait entièrement disparu[1]. Le père serra les poings d'un air hostile, comme pour rejeter Gregor dans sa chambre, promena ses regards d'un air incertain d'un bout de la pièce à l'autre, puis il se couvrit les yeux de ses mains et se mit à pleurer avec de gros sanglots qui secouaient sa puissante poitrine[2].

Gregor n'entra pas dans la pièce ; il resta appuyé sur le battant fermé de la porte, de sorte qu'on ne voyait que la moitié de son corps et par-dessus, on pouvait voir sa tête penchée de côté qui essayait d'apercevoir les autres personnages. Le temps s'était éclairci ; on voyait distinctement de l'autre côté de la rue un fragment de l'immense maison noirâtre qui constituait le vis-à-vis — c'était un hôpital — ; des fenêtres disposées régulièrement en perçaient brutalement

1. On a commenté dans la préface cette image de la mère aperçue dans le désordre de la nuit. On rapprochera ce passage de la lettre à Felice Bauer, écrite le 19 octobre 1916 (Pléiade, t. IV, p. 791), qui évoque la chambre conjugale des parents.

2. Un des rares passages où le père apparaît sous des traits moins inhumains.

la façade ; la pluie continuait à tomber, mais maintenant en grosses gouttes séparées les unes des autres et qui paraissaient littéralement jetées l'une après l'autre sur le sol. L'abondante vaisselle du petit déjeuner était encore sur la table, car c'était pour le père le principal repas de la journée ; il le prolongeait pendant des heures à lire divers journaux. Au mur d'en face était accrochée une photographie de Gregor, du temps de son service militaire ; elle le représentait en sous-lieutenant, la main sur son épée, souriant d'un air insouciant, semblant exiger le respect pour son maintien et pour son uniforme[1]. La porte du vestibule était ouverte et, comme la porte de l'appartement était ouverte elle aussi, on apercevait le palier et les premières marches de l'escalier.

« Bon », dit Gregor, tout à fait conscient d'être le seul à avoir conservé son calme, « je vais tout de suite m'habiller, emballer la collection et m'en aller. Vous voulez bien me laisser partir ? vous voulez bien ? Vous voyez, monsieur le fondé de pouvoir, que je ne suis pas têtu et que j'aime le travail ; les voyages sont pénibles, mais je ne pourrais pas m'en passer. Où allez-vous donc, monsieur le fondé de pouvoir ? Au magasin ? Oui ? Allez-vous faire un compte rendu

1. Image du temps où Gregor avait encore sa place parmi les usages et les croyances de la société.

fidèle de tout ? Il peut arriver qu'on soit dans l'instant incapable de travailler, mais c'est aussi le bon moment pour se rappeler tout ce qu'on a fait autrefois et pour penser que, l'obstacle une fois franchi, on ne travaillera ensuite qu'avec encore plus de zèle et d'application. J'ai tant d'obligations envers M. le directeur, vous le savez pourtant bien. J'ai d'autre part le souci de mes parents et de ma sœur. Je suis dans une mauvaise passe, mais je m'en sortirai. Seulement, ne me rendez pas les choses encore plus difficiles qu'elles ne le sont. Prenez mon parti au magasin ! On n'aime pas les voyageurs, je le sais bien. On pense qu'ils gagnent un argent fou et qu'ils mènent la belle vie. C'est parce qu'on n'a pas l'occasion de remettre ce préjugé en question. Mais vous, monsieur le fondé de pouvoir, vous avez une meilleure vision de l'ensemble que le reste du personnel et même, entre nous soit dit, une vision plus juste que M. le directeur lui-même, qui, en tant qu'employeur, peut être amené à avoir le jugement faussé en défaveur d'un employé. Vous n'ignorez pas que le voyageur, qui n'est presque jamais au magasin de toute l'année, est facilement victime de potins, de hasards, de réclamations dénuées de fondement, contre lesquels il lui est absolument impossible de se défendre, puisqu'il ne sait même pas qu'on l'accuse ; et que c'est seulement quand il revient chez lui, épuisé par son voyage, qu'il en découvre à ses dépens les conséquences, sans même parvenir jamais à en deviner les causes. Ne partez pas, monsieur le fondé de pouvoir, sans m'avoir dit un mot qui me prouve que vous me donnez raison, au moins pour une toute petite partie ! »

Mais le fondé de pouvoir, dès les premiers mots de Gregor, s'était détourné, avec une moue de dégoût, pour ne plus le regarder que par-dessus son épaule, agitée d'un tremblement nerveux. Et pendant le discours de Gregor, il ne resta pas un instant immobile ; sans le perdre de vue, il battit en retraite vers la porte, mais à petits pas, comme si une interdiction mystérieuse l'empêchait de quitter la pièce. Il était déjà dans le vestibule et, quand il fit le dernier pas hors de la salle de séjour, ce fut d'un mouvement si brusque qu'on aurait pu croire que le plancher brûlait la semelle de ses souliers. Arrivé dans le vestibule, il tendit la main droite loin de lui, du côté de l'escalier, comme si l'attendait là quelque secours proprement surnaturel.

Gregor comprit qu'il ne fallait en aucun cas laisser le fondé de pouvoir partir dans cet état, si sa position au magasin ne devait pas être à tout jamais compromise. Ses parents ne voyaient pas les choses ainsi ; au cours de ces longues années, ils s'étaient installés dans la conviction que Gregor était casé dans cette affaire pour sa vie entière et, en outre, ils avaient trop à faire de leurs soucis présents pour pouvoir penser à l'avenir. Mais Gregor y pensait. Il fallait arrêter, calmer, convaincre le fondé de pouvoir et finalement le gagner à sa cause, il y allait de l'avenir de Gregor et de sa famille. Si seulement sa sœur avait été là ! Elle était intelligente, elle s'était mise à pleurer déjà lorsque Gregor était encore tranquillement couché sur le dos. Et le fondé de pouvoir, qui aimait bien les dames, se serait certainement laissé convaincre par elle ; elle aurait fermé la porte de l'appartement et lui aurait montré dans le vestibule l'inanité de sa frayeur. Mais sa sœur n'était précisément pas là ; Gregor devait agir seul. Et, sans penser qu'il ignorait lui-même quelle était sa capacité de mouvement, sans se dire qu'il était possible, et même probable, que son dernier discours n'ait pas été compris, il abandonna le battant de la porte, se glissa par l'ouverture et voulut se diriger vers le fondé de pouvoir qui s'était déjà agrippé ridiculement des deux mains à la rampe du palier, mais il retomba aussitôt, en cherchant un appui, sur l'une de ses pattes, en poussant un petit cri. À peine cela se fut-il produit qu'il ressentit pour la première fois dans cette matinée une impression de bien-être physique ; ses pattes reposaient sur un sol solide ; elles lui obéissaient à merveille, comme il le remarqua avec plaisir, et ne demandaient même qu'à l'emmener où il voulait ; et il se prenait déjà à croire que la fin de ses maux était proche[1]. Mais, au même moment, alors qu'il se balançait sur place en retenant son mouvement tout près de l'endroit où se trouvait sa mère et qu'il avançait sur le plancher juste en face d'elle, celle-ci, qu'on eût dit abîmée en elle-même, se releva d'un bond, lança les bras en l'air en écarquillant les doigts et hurla : « Au secours, seigneur Dieu, au secours ! » ; après quoi, elle garda la tête penchée pour mieux le voir, puis, en contradiction avec ce geste, se rejeta comme une folle en arrière en perdant la tête, sans se rappeler que la table mise se trouvait derrière elle ; arrivée près de la table, dans sa hâte et sa distraction, elle s'assit dessus, sans paraître s'apercevoir que, de la grande cafetière renversée, un flot de café se répandait sur le tapis.

« Mère, mère ! », dit Gregor à voix basse, en levant les yeux vers elle[2]. Le fondé de pouvoir lui était pour l'instant sorti de l'esprit ; mais, à la vue du café qui coulait, il ne put s'empêcher de happer à plusieurs reprises dans le vide avec ses mandibules. Là-dessus, sa mère se remit à

1. On comprend que Gregor est jusqu'à présent resté sur le dos, en voyant le monde à l'envers. L'amélioration prétendue de son état vient seulement du fait que, pour la première fois, il se réconcilie avec sa condition nouvelle.

2. L'accumulation des détails grotesques de cette scène (dans l'attitude du fondé de pouvoir, dans celle du père et même dans celle de la mère) est compensée par le tragique de l'instant qu'elle évoque : en entrant dans sa condition animale, Gregor perd définitivement sa mère, qui va chercher refuge dans les bras du père. Aucun désastre ne lui est plus sensible que celui-là.

crier, s'écarta de la table et tomba dans les bras du père qui se précipitait à sa rencontre. Mais Gregor, en cet instant, n'avait pas le temps de s'occuper de ses parents ; le fondé de pouvoir était déjà dans l'escalier ; le menton posé sur la rampe, il se retournait une dernière fois. Gregor prit son élan pour tâcher d'être sûr de le rattraper ; le fondé de pouvoir avait dû pressentir quelque chose, car il sauta plusieurs marches et disparut en poussant un « Ouh ! », qui retentit dans toute la cage d'escalier. Mais cette fuite du fondé de pouvoir eut le malheureux résultat que le père, qui était resté jusqu'alors relativement maître de lui, perdit soudain la tête ; au lieu de rattraper le fondé de pouvoir ou tout au moins d'empêcher Gregor de le poursuivre, il saisit de la main droite la canne du fondé de pouvoir, que celui-ci avait laissée sur une chaise avec son chapeau et son pardessus, prit de la main gauche un grand journal qui traînait sur la table et en tapant des pieds, il se mit en devoir, en brandissant la canne et le journal, de ramener Gregor dans sa chambre. Aucune prière de Gregor n'y faisait rien, aucune de ses prières ne parvenait d'ailleurs à se faire comprendre ; Gregor avait beau tourner humblement la tête vers lui, son père tapait des pieds encore plus furieusement. Là-bas, sa mère, malgré le temps frais, avait ouvert la fenêtre toute grande et restait penchée au-dehors, la tête dans ses mains. Entre la rue et la cage d'escalier, un grand courant d'air se produisit, les rideaux des fenêtres se soulevèrent, l'air agita les journaux posés sur la table, quelques feuilles voltigèrent jusque sur le parquet. Le père chassait Gregor impitoyablement, en poussant des sifflements de sauvage, et Gregor, qui ne s'était pas encore exercé à marcher à reculons, ne pouvait se déplacer que très lentement. Si Gregor avait pu faire demi-tour, il se serait trouvé rapidement dans sa chambre, mais il craignait d'exaspérer son père par la lenteur de ce mouvement tournant et redoutait à tout instant le coup de bâton mortel qui pouvait l'atteindre dans le dos ou sur la tête. Mais bientôt, il n'eut plus d'autre ressource, car il s'aperçut avec effroi qu'en marchant ainsi à reculons, il ne parvenait même pas à garder la direction ; il commença donc, en jetant sans cesse de côté et d'autre des regards angoissés vers son père, à faire demi-tour aussi rapidement qu'il le pouvait, c'est-à-dire malgré tout fort lentement. Peut-être son père aperçut-il cette marque de bonne volonté, car il ne chercha pas à le gêner, mais dirigea au contraire le mouvement tournant en l'accompagnant de loin de la pointe de sa canne. Si seulement il avait bien voulu cesser cet insupportable sifflement ! Gregor en perdait tout à fait la tête. Il s'était déjà presque entièrement retourné quand, à force d'entendre ce sifflement, il commit même une erreur et se retourna un petit peu du mauvais côté. Mais quand il fut enfin heureusement parvenu à placer sa tête en face de l'ouverture de la porte, il apparut que son corps était trop large pour passer sans dommage. Naturellement, dans l'état d'esprit où il se trouvait alors, son père fut bien éloigné de penser par exemple à ouvrir l'autre battant de la porte, pour offrir à Gregor un passage suffisant. Son idée fixe était seulement de faire rentrer Gregor dans sa chambre aussi vite que possible. Jamais il n'aurait toléré les préparatifs compliqués dont Gregor avait besoin pour se mettre debout et essayer de franchir la porte de cette manière. Il poussait au contraire Gregor, comme s'il n'y avait eu aucun obstacle, en faisant plus de bruit encore qu'auparavant. Gregor avait l'impression que son père n'était plus seul, mais que plusieurs pères s'étaient ligués contre lui[1]. Ce n'était vraiment plus le moment de plaisanter et Gregor se jeta dans l'ouverture de la porte, sans se soucier du reste. Un côté de son corps se redressa, il resta pris de travers dans l'ouverture de la porte, un de ses flancs était entièrement écorché ; de vilaines taches brunes restèrent sur la porte blanche ; bientôt, il se trouva coincé et incapable de bouger ; d'un côté, ses pattes s'agitaient en l'air, de l'autre elles étaient pressées contre le plan-

1. Élargissement mythique du personnage du père, qui devient comme l'incarnation du pouvoir paternel. On rapprochera ce passage d'une métamorphose analogue du père de Georg Bendemann, dans *Le Verdict*.

cher ; son père lui lança par-derrière un coup qui parvint à le délivrer, et il fut projeté jusqu'au milieu de la chambre, en perdant son sang en abondance. La porte fut encore fermée d'un coup de canne, puis le silence se fit enfin.

II

Ce n'est qu'au crépuscule que Gregor sortit d'un sommeil semblable à la pâmoison. Il se serait sans doute de toute manière éveillé peu après, même s'il n'avait pas été dérangé, car il se sentait suffisamment reposé et avait eu son saoul de sommeil, mais il lui sembla avoir été éveillé par des pas furtifs et par le bruit qu'on faisait en fermant avec précaution la porte qui menait au vestibule. La lueur des réverbères électriques se déposait faiblement sur le plafond et sur la partie supérieure des meubles, mais en bas, là où était Gregor, tout était plongé dans l'ombre[1]. Lentement, il se traîna du côté de la porte, en tâtant encore maladroitement autour de lui avec ses antennes, dont il commençait seulement à comprendre l'utilité, pour voir ce qui s'était passé. Son côté gauche lui faisait l'effet

1. L'opposition de la lumière et de l'ombre est mentionnée à plusieurs endroits dans le texte : Gregor est condamné à vivre dans l'obscurité.

d'être une longue cicatrice, qui le tirait désagréablement, et sur ses deux rangées de pattes, il était proprement obligé de boiter. Une de ses pattes avait d'ailleurs été sérieusement blessée au cours des incidents de la matinée[1] — et c'était un miracle que ce fût la seule ; la vie s'en était retirée et elle traînait par terre.

C'est seulement quand il fut parvenu à la porte qu'il remarqua ce qui l'avait attiré de ce côté-là : c'était l'odeur de quelque chose de comestible. Il y avait là une jatte remplie de lait sucré, dans lequel nageaient de petites tranches de pain blanc. Il se serait presque mis à rire de plaisir, car sa faim était encore plus grande que le matin, et il plongea aussitôt sa tête presque jusqu'aux yeux dans le lait. Mais il la retira bien vite avec déception : non seulement il avait de la peine à manger à cause de son malheureux côté gauche — pour manger, il devait, en haletant, faire un effort du corps entier —, mais en outre, il ne pouvait plus sentir le lait, qui était autrefois sa boisson préférée et que sa sœur avait sans doute placé là pour cette raison ; il se détourna de la jatte presque avec répugnance et rampa jusqu'au milieu de la chambre.

Dans la salle de séjour, on avait allumé le gaz, comme Gregor s'en rendit compte par la fente de

1. La première partie du récit se déroulait en deux ou trois heures. La deuxième partie va s'étendre sur plusieurs mois.

la porte ; mais, alors que son père avait l'habitude, à cette heure du jour, de lire à haute voix à sa mère et à sa sœur son journal, qui paraissait l'après-midi, on n'entendait aujourd'hui aucun bruit. Peut-être cette lecture, dont sa sœur ne cessait de lui parler dans ses conversations et dans ses lettres, avait-elle été abandonnée les derniers temps. Mais partout régnait le même silence, bien que la maison n'ait certainement pas été vide. « Quelle vie tranquille menait notre famille », pensa Gregor et, tout en regardant fixement dans le noir, il éprouvait une grande fierté d'avoir pu procurer une telle vie dans un aussi joli appartement à ses parents et à sa sœur. Mais qu'allait-il arriver maintenant, si cette tranquillité, cette satisfaction, ce bien-être allaient s'achever dans l'horreur ? Pour ne pas s'abandonner à ces pensées, Gregor préféra prendre du mouvement et se mit à ramper de-ci de-là dans la pièce.

Une fois pendant cette longue soirée, on entrouvrit, puis referma vivement une des portes latérales ; un peu plus tard, on recommença avec l'autre porte ; quelqu'un avait visiblement envie d'entrer, mais finalement les hésitations l'emportaient. Gregor s'arrêta tout près de la porte de la salle de séjour, bien décidé à faire entrer d'une manière ou d'une autre le visiteur hésitant ou du moins à savoir qui c'était ; mais on n'ouvrit plus la porte et Gregor attendit en vain. Le matin, lorsque toutes les portes étaient fermées, tout le monde avait voulu entrer, et maintenant qu'il avait lui-même ouvert l'une des portes et qu'on avait certainement dû ouvrir les autres au cours de la journée, personne ne venait et on avait mis les clefs à l'extérieur.

La lumière ne s'éteignit dans la salle que tard dans la nuit, et il lui fut dès lors facile de constater que ses parents et sa sœur étaient restés tout ce temps-là à veiller, car on les entendit fort bien s'éloigner tous les trois sur la pointe des pieds. Il était sûr maintenant que personne n'entrerait chez Gregor avant le matin ; il avait donc un bon moment pour méditer à son aise sur la nouvelle organisation de son existence. Mais cette grande chambre vide, où il était obligé de rester couché à plat sur le sol, lui faisait peur, sans qu'il pût en deviner la raison, car c'était la chambre où il logeait depuis cinq ans — et à la suite d'une décision à demi consciente [1] et non sans une légère honte, il partit vivement se coucher sous le canapé, où il se sentit aussitôt tout à fait à son aise, bien que son dos fût un peu serré et qu'il lui fût impossible de relever la tête ; il regrettait seulement que son corps fût trop large pour pouvoir trouver place tout entier sous le canapé.

1. À ce moment de son évolution, Gregor, à demi conscient, a encore honte de ce qu'il est devenu. Il pense que son mal est curable et qu'il traverse seulement une crise. On rapprochera ce passage du début du texte, p. 24 : « Sa chambre, une chambre hu-

Il resta là toute la nuit, qu'il passa pour une part dans un demi-sommeil, dont la faim le tirait sans cesse en sursaut, mais pour une part aussi au milieu des soucis et de vagues espérances, qui le menaient tous à cette conclusion que le mieux était provisoirement de se tenir tranquille et d'essayer par de la patience et de grands ménagements de rendre supportables à sa famille les désagréments que son état actuel ne pouvait éviter de lui causer.

De bon matin — il faisait encore presque nuit —, Gregor eut l'occasion de mettre à l'épreuve la force des résolutions qu'il venait de prendre, car la porte du vestibule s'ouvrit et sa sœur, déjà tout habillée, passa la tête avec une attention inquiète. Elle ne le trouva pas tout de suite et, lorsqu'elle le découvrit sous le canapé — pardieu ! il fallait bien qu'il soit quelque part, il ne pouvait pourtant pas s'être envolé ! —, elle éprouva une telle terreur qu'elle ne put pas maîtriser ses mouvements et sortit en faisant claquer la porte. Mais, comme si elle se repentait de son attitude, elle rouvrit aussitôt et revint sur la pointe des pieds, comme elle l'aurait fait chez un grand malade ou même chez un étranger. Gregor avait avancé la tête jusqu'au bord du canapé et l'observait. Allait-elle remarquer qu'il n'avait pas touché

---

maine ordinaire, tout au plus un peu exiguë, était toujours là entre les quatre cloisons qu'il connaissait bien. »

au lait — et pas du tout parce qu'il n'avait pas faim — et allait-elle apporter une autre nourriture qui lui convînt davantage ? Si elle ne le faisait pas d'elle-même, il aimait mieux mourir de faim que d'attirer là-dessus son attention ; en dépit de l'envie qui le tenaillait, il n'aurait voulu pour rien au monde sortir de sous le canapé, se jeter aux pieds de sa sœur et la supplier de lui apporter quelque chose de bon à manger. Mais sa sœur remarqua aussitôt avec étonnement la jatte pleine, autour de laquelle un peu de lait s'était répandu ; elle la ramassa immédiatement, mais sans la toucher directement et, en s'aidant d'un torchon, elle la porta dehors. Gregor se demandait avec la plus grande curiosité ce qu'elle apporterait à la place et se creusait la tête pour l'imaginer. Mais il n'aurait jamais pu deviner jusqu'où irait la bonté de sa sœur. Afin de connaître son goût, elle lui apporta tout un choix de choses comestibles, qu'elle avait étalées sur un vieux journal. Il y avait là des légumes à moitié pourris, des os du dîner de la veille, dans une sauce blanchâtre figée ; des raisins secs et des amandes ; un fromage que Gregor avait déclaré immangeable l'avant-veille ; un pain rassis, deux tartines de beurre, l'une salée, l'autre non. Elle joignit à cela la jatte, qui semblait une fois pour toutes destinée à Gregor, qu'elle avait cette fois remplie d'eau [1]. Et

1. C'est ici l'endroit de rappeler que Kafka était particulièrement délicat dans le choix de sa nourriture. Il était en principe végétarien, sans en faire toutefois un principe absolu. Tout le pas-

par délicatesse, parce qu'elle savait que Gregor ne mangerait pas devant elle, elle s'éloigna promptement et tourna même la clef pour que Gregor vît bien qu'il pouvait prendre toutes ses aises. Au moment d'aller vers la nourriture, les pattes de Gregor se mirent à s'agiter avec bruit. Ses blessures devaient être d'ailleurs entièrement guéries, il ne sentait plus aucune gêne ; il s'en étonna en songeant qu'il s'était fait au doigt une légère coupure avec un couteau, il y avait plus d'un mois, et que cette blessure le faisait encore souffrir deux jours plus tôt. « Serais-je devenu moins sensible ? », pensa-t-il, et déjà il léchait goulûment le fromage, qui l'avait aussitôt attiré le plus fortement au milieu des autres aliments. Il dévora successivement le fromage, les légumes et la sauce, et la satisfaction lui faisait verser des larmes ; mais il n'avait en revanche aucun goût pour les nourritures fraîches, il n'en pouvait même pas supporter l'odeur et il traîna même un peu à l'écart les choses qu'il voulait manger. Il avait fini depuis longtemps et paressait encore à la même place, quand sa sœur, pour lui faire com-

---

sage est destiné à montrer qu'en face de la métamorphose de Gregor, les bons sentiments sont impuissants. Grete lui apportait de la sympathie ou tout au moins une pitié qu'il ne trouvait ni chez son père ni chez sa mère. Mais ces gestes en apparence affectueux procèdent plus du mépris ou d'une dangereuse complicité. Ils ne pourront qu'aggraver le mal. Il sera dit plus loin (p. 74) que la fausse charité de Grete ne procédait que d'une « légèreté enfantine ».

prendre que le moment était venu de se retirer, tourna lentement la clef dans la serrure. Il sursauta immédiatement, bien qu'il fût à moitié endormi, et se hâta de regagner le canapé. Il lui fallut faire un grand effort sur lui-même pour y rester pendant le bref moment que sa sœur passa dans la chambre, car le repas copieux lui avait un peu gonflé le ventre, il se sentait à l'étroit et avait peine à respirer. Au milieu de petites crises d'étouffement, les yeux un peu exorbités, il regardait faire sa sœur qui, sans pouvoir rien comprendre, ramassait avec un balai non seulement ses restes, mais aussi les nourritures auxquelles il n'avait pas touché, comme si elles étaient devenues, elles aussi, inutilisables, et jetait vivement le tout dans un baquet, qu'elle recouvrit d'un couvercle de bois, et qu'elle emporta à la hâte. Elle avait à peine tourné les talons que Gregor sortit de sous le canapé, pour s'étirer et laisser son ventre se gonfler.

C'est ainsi que Gregor reçut désormais tous les jours la nourriture, une fois le matin, quand ses parents et la bonne dormaient encore, la deuxième fois après le repas général de midi, car les parents faisaient à ce moment-là encore une petite sieste et la sœur envoyait la bonne faire quelque commission. Ils ne voulaient certainement pas, eux non plus, laisser Gregor mourir de faim, mais peut-être n'auraient-ils pas supporté d'être informés de ses repas autrement que par ouï-dire ; il est possible aussi que la sœur ait voulu leur épargner une source de tristesse peut-être mineure, car ils avaient déjà bien assez à souffrir.

Gregor ne put jamais savoir grâce à quels prétextes on s'était débarrassé, le premier matin, du médecin et du serrurier ; en effet, comme on ne le comprenait pas, personne, même pas sa sœur, ne pensait qu'il était capable de comprendre les autres[1], et il devait se contenter, quand sa sœur était dans sa chambre, de l'entendre de temps en temps soupirer ou invoquer les saints. C'est seulement plus tard, quand elle se fut un peu habituée à la situation — à laquelle naturellement il était impossible de s'habituer tout à fait —, que Gregor parvint quelquefois à saisir une remarque qui exprimait de la gentillesse ou qui permettait à tout le moins d'être interprétée de la sorte. « Eh bien ! aujourd'hui cela lui a plu », disait-elle, quand Gregor avait fait honneur au repas ou bien, dans le cas contraire, qui se produisait de plus en plus fréquemment : « Voilà qu'il a encore tout laissé. »

Mais, si Gregor ne pouvait apprendre directe-

1. Telle est, en effet, la situation imaginée par Kafka : on ne comprend pas Gregor ; mais lui, au moins dans cette phase centrale de son évolution, n'a rien perdu de sa lucidité. Ses informations sont très incomplètes, puisqu'il vit à l'écart de la communauté. Mais le meilleur de son temps se passe à interpréter des signes, dont le sens ne lui est que très partiellement intelligible.

ment aucune nouvelle, il parvenait à glaner des informations dans les pièces voisines et, dès qu'il entendait parler, il se précipitait aussitôt sur la porte en question et s'y collait de tout son long. Dans les premiers temps surtout, il n'y avait aucune conversation qui ne portât plus ou moins, fût-ce à mots couverts, sur son compte. Pendant deux jours, tous les conciliabules pendant les repas portaient sur la conduite à tenir et, entre les repas, on reprenait le même sujet, car il y avait toujours au moins deux membres de la famille à la maison ; personne ne voulait probablement y rester seul et il était encore moins question de laisser la maison vide. Quant à la bonne, dès le premier jour — sans qu'on pût comprendre clairement ce qu'elle connaissait des événements et comment elle les avait appris —, elle avait supplié la mère à genoux de lui donner immédiatement son congé et, en faisant ses adieux un quart d'heure plus tard, elle remerciait de son renvoi comme s'il s'était agi du plus grand des bienfaits dont elle ait jamais bénéficié et, sans qu'on le lui eût demandé, elle s'était engagée par un serment solennel à ne jamais révéler à personne la moindre chose.

C'est sa sœur désormais qui devait, avec sa mère, se charger de la cuisine. Il est vrai que cela ne leur donnait pas beaucoup de mal, car on ne mangeait presque rien. À tout moment, Gregor entendait un membre de la famille en exhorter vainement un autre à prendre de la nourriture ; il n'obtenait pas d'autre réponse que : « Merci, j'ai assez », ou une autre phrase de ce genre. On avait aussi l'impression qu'on ne buvait pas davantage. La sœur demandait souvent à son père s'il voulait de la bière et lui proposait gentiment d'aller en chercher elle-même. Quand son père ne répondait pas, elle disait, pour lui retirer tout scrupule, qu'elle pouvait également envoyer la concierge, mais son père finissait par dire : « Non » d'un ton ferme, et on n'en parlait plus.

Dès le premier jour, le père avait fait à la mère en même temps qu'à la sœur un exposé sur sa situation de fortune et sur les perspectives d'avenir. De temps en temps, il se levait de table et allait chercher dans le petit coffre-fort Wertheim[1] qu'il était parvenu à sauver du désastre de son entreprise, cinq ans plus tôt, un document ou un registre. On l'entendait ouvrir la serrure compliquée du coffre et la refermer après avoir trouvé ce qu'il cherchait. Ces explications que donnait son père étaient sans doute pour une part la première chose agréable que Gregor entendait depuis le début de sa captivité. Il avait toujours pensé que son père n'avait rien pu sauver du tout de cette entreprise ; son père, à tout le moins, n'avait jamais cherché à le détromper et Gregor d'ailleurs ne lui posait aucune question à ce su-

1. Wertheim est le grand magasin où le coffre-fort a été acheté.

jet. Le souci de Gregor n'avait toujours été en ce temps-là que de faire oublier le plus vite possible à sa famille la catastrophe qui l'avait privée de tout espoir. Et il s'était lancé dans le travail avec une ardeur toute particulière ; de petit commis qu'il était, il était du jour au lendemain devenu voyageur, ce qui offrait naturellement de tout autres possibilités de salaire, et ses succès professionnels s'étaient aussitôt traduits en argent liquide, qu'on lui remettait à titre de provision et qu'il pouvait étaler chez lui sur la table, devant une famille étonnée et ravie. C'étaient de belles années, et il ne s'en était plus trouvé depuis qui leur fussent comparables et qui fussent du moins aussi brillantes, bien que Gregor eût ensuite gagné tellement d'argent qu'il fut en mesure de subvenir aux besoins de la famille entière, ce qu'il fit en effet. Tout le monde s'y était habitué, la famille aussi bien que Gregor ; on acceptait l'argent avec gratitude et lui le donnait volontiers, mais il ne régnait plus autant de chaleur que dans les premiers temps. Seule sa sœur était restée assez proche de Gregor, et comme, contrairement à lui, elle aimait la musique et jouait bien du violon, il avait conçu secrètement le plan de l'envoyer l'année suivante au Conservatoire, sans se soucier des frais élevés que cela entraînerait et qu'on parviendrait bien à couvrir d'une manière ou d'une autre. Ce Conservatoire revenait fréquemment dans les entretiens entre le frère et la sœur, pendant les brefs séjours que Gregor faisait à la ville ; ils n'en parlaient que comme d'un beau rêve, à peu près irréalisable, et même ces innocentes allusions n'étaient guère approuvées des parents, mais Gregor y pensait de la façon la plus précise et il avait formé le projet de l'annoncer solennellement le soir de Noël.

Des pensées de ce genre, fort inutiles dans sa situation présente, lui passaient par la tête lorsqu'il restait debout, collé à la porte, à écouter. Quelquefois, sa lassitude était telle qu'il ne pouvait même plus écouter ; il laissait alors sa tête négligemment cogner contre la porte, mais il ne tardait pas à se reprendre, car même le petit bruit qu'il avait ainsi provoqué avait été entendu à côté et tout le monde s'était tu. « Que fabrique-t-il encore ? », demandait le père au bout d'un moment, en se tournant sans doute vers la porte, et c'est seulement ensuite que la conversation un moment interrompue pouvait reprendre.

Gregor apprit alors, plus qu'il n'était besoin — car son père avait coutume de se répéter souvent dans ses explications, d'une part parce qu'il avait cessé depuis longtemps de s'occuper de ces affaires et d'autre part aussi parce que la mère ne comprenait pas tout du premier coup —, que malgré leurs déboires, il leur restait de l'ancien temps une fortune, assez peu considérable à vrai dire, mais que les intérêts accumulés avaient entre-temps un peu augmentée. On n'avait pas non plus dépensé tout l'argent que Gregor, qui ne gardait pour lui-même que quelques florins, apportait tous les mois, et on avait de la sorte constitué un petit capital. Gregor, derrière sa porte, approuvait vivement de la tête, tout heureux de cette prévoyance et de cette économie, qu'il ne soupçonnait pas. À vrai dire, il aurait pu, grâce à cet argent excédentaire, continuer à amortir la dette que son père avait contractée envers son patron et le jour où il aurait pu se libérer de son poste se serait considérablement rapproché, mais la façon dont son père en avait disposé était sans nul doute préférable.

En tout cas, cet argent ne suffisait absolument pas pour permettre à la famille de vivre des intérêts ; il eût permis tout au plus de l'entretenir un an ou deux. C'était donc une somme qu'on ne devait pas attaquer et qu'il fallait conserver pour le cas où on se serait trouvé un jour dans le besoin, pas autre chose ; quant à l'argent pour la vie courante, il fallait continuer à le gagner. Or, le père se portait bien, assurément, mais c'était un homme âgé, qui avait cessé tout travail depuis cinq ans et, en tout cas, il ne devait pas présumer de ses forces ; ces cinq années avaient été les premières vacances qu'il ait prises dans une vie de labeur, et pourtant rarement couronnée de succès ; il avait beaucoup engraissé et s'était déjà passablement encroûté. Et ce n'était certainement pas sa vieille mère qui allait gagner de l'argent avec son asthme, elle pour qui un déplacement à travers l'appartement représentait déjà un effort et qui tous les deux jours restait assise sur le sofa à étouffer devant la fenêtre ouverte. Et c'est à sa sœur qu'on allait demander de gagner de l'argent ? à dix-sept ans, c'était encore une enfant, qu'on n'allait certes pas priver de la vie qu'elle avait menée jusqu'ici et qui avait consisté à s'habiller gentiment, à faire la grasse matinée, à donner un coup de main au ménage, à participer à de modestes divertissements et surtout à jouer du violon. Quand la conversation venait à évoquer la nécessité de gagner de l'argent, Gregor était le premier à laisser retomber la porte et allait se jeter, pour y trouver un peu de fraîcheur, sur le canapé de cuir qui se trouvait à côté, tant il était brûlant de confusion et de tristesse.

C'est là qu'il restait souvent tout au long des nuits, sans dormir un seul instant, occupé à gratter le cuir pendant des heures. Ou bien il ne reculait pas devant le grand effort qu'il devait déployer pour pousser une chaise jusqu'à la fenêtre, se dresser ensuite pour grimper jusqu'au garde-fou et là, bien calé sur son siège, pour rester appuyé à la croisée, en souvenir manifestement de l'impression de liberté qu'il éprouvait autrefois quand il regardait par la fenêtre. Car maintenant, il reconnaissait de moins en moins clairement les objets, dès qu'ils étaient un peu éloignés ; il ne parvenait même plus à voir l'hôpital d'en face, qu'il détestait autrefois pour être trop habitué à le voir ; et s'il n'avait pas su pertinemment qu'il habitait la Charlottenstrasse, une rue paisible mais urbaine, il aurait pu croire que sa fenêtre ne donnait que sur un désert, où le ciel gris et la terre grise se confondaient indiscernablement[1]. Il avait suffi à sa sœur, toujours attentive, de voir deux fois la chaise près de la fenêtre pour la remettre exactement au même endroit après avoir fait la chambre ; elle prit même l'habitude de laisser désormais ouvert le battant de la fenêtre intérieure[2].

Si seulement Gregor avait pu parler à sa sœur et la remercier de tout ce qu'elle faisait pour lui, il lui aurait été plus facile de supporter les services qu'elle lui rendait ; mais, dans la situation actuelle, il en souffrait. Sa sœur essayait évidemment de dissimuler autant que possible ce que tout cela avait de pénible et, naturellement, plus le temps passait, mieux elle y parvenait ; mais de son côté, Gregor lui aussi voyait les choses avec une précision toujours plus grande. Le moment déjà où elle entrait dans la pièce était pour lui terrible. À peine était-elle entrée que, sans prendre le temps de fermer la porte, malgré le soin qu'elle prenait à épargner à tout le monde le

1. Dans sa totale introversion, Gregor a entièrement détruit le monde extérieur.

2. Il s'agit de doubles-fenêtres, comme il est usuel en Europe centrale.

spectacle de la chambre de Gregor, elle courait droit à la fenêtre et en toute hâte, comme si elle était sur le point d'étouffer, elle l'ouvrait toute grande, puis, même par grand froid, elle restait près de la fenêtre à respirer profondément. Deux fois par jour, elle épouvantait Gregor à courir pareillement et à faire tout ce bruit ; il restait tout ce temps-là à frissonner sous son canapé, tout en sachant fort bien qu'elle lui aurait épargné ce supplice, si seulement elle avait pu rester, la fenêtre fermée, dans la pièce où il se trouvait.

Un jour — il pouvait s'être écoulé un mois depuis la métamorphose de Gregor, et sa sœur n'avait donc plus grand motif de s'étonner de son aspect — elle arriva un peu plus tôt qu'à l'ordinaire et trouva Gregor en train de regarder par la fenêtre ; il était dressé de tout son haut, immobile, dans une position bien faite pour inspirer la terreur. Gregor ne se serait pas étonné si elle n'était pas entrée, car il l'empêchait par sa position d'ouvrir tout de suite la fenêtre ; mais elle ne se contenta pas de ne pas entrer, elle recula épouvantée et ferma la porte à clef ; un étranger aurait vraiment pu penser que Gregor s'était mis à l'affût pour la mordre. Il alla naturellement se cacher aussitôt sous le canapé, mais il fallut attendre midi avant que sa sœur ne revînt, l'air beaucoup plus inquiet qu'à l'ordinaire. Il en conclut que son aspect n'avait pas cessé de lui inspirer de la répugnance, qu'il en serait encore ainsi à l'avenir et que, dès que la plus petite partie de son corps dépassait du canapé, elle devait se faire violence pour ne pas immédiatement prendre la fuite. Afin de lui épargner ce spectacle, il prit un jour le drap de lit, le tira sur son dos jusque sur le canapé — ce qui lui demanda quatre bonnes heures de travail — et le disposa de manière à être entièrement couvert, afin que sa sœur ne pût plus rien voir, même en se baissant. Si elle avait estimé que ce drap n'était pas nécessaire, elle aurait toujours pu le retirer, car il était bien évident que ce n'était pas pour son plaisir que Gregor se coupait ainsi du reste du monde[1] ; mais elle laissa le drap tel qu'il était et Gregor crut même surprendre chez elle un regard de reconnaissance, un jour qu'avec précaution, il avait soulevé légèrement le drap avec sa tête pour voir comment sa sœur appréciait sa nouvelle organisation.

Pendant la première quinzaine, les parents n'avaient pu prendre sur eux d'entrer dans la chambre, et il les entendit souvent louer sans réserve le travail de sa sœur, alors qu'autrefois ils s'irritaient fréquemment contre elle, parce qu'ils estimaient qu'elle n'était bonne à rien. Mainte-

1. Dans cette phase intermédiaire, Gregor, se sentant coupable, tente de ménager ceux qui l'entourent ; il se renie ou se cache. Il sera le premier à ne pas souhaiter la visite de sa mère. L'affirmation de lui-même sera, plus tard, un geste de révolte et cette révolte ne pourra conduire qu'à la mort.

nant, ils restaient souvent tous les deux, le père comme la mère, devant la chambre de Gregor, pendant que sa sœur y faisait le ménage et, à peine était-elle sortie qu'elle devait leur raconter exactement de quoi la chambre avait l'air, si Gregor avait mangé, comment il s'était comporté cette fois-là et si on constatait un léger mieux. Sa mère manifesta d'ailleurs relativement tôt le désir d'aller voir Gregor, mais le père et la sœur l'en dissuadèrent au début par des arguments de raison, que Gregor écoutait avec grande attention et qu'il approuvait pleinement. Plus tard cependant, il fallut la retenir de force et quand elle s'écriait : « Laissez-moi donc voir Gregor, mon pauvre fils, qui est si malheureux ! Vous ne comprenez donc pas qu'il faut que j'aille le voir ? », il pensait qu'il serait peut-être bon malgré tout que sa mère vienne chez lui, pas tous les jours naturellement, mais par exemple une fois par semaine ; elle s'y entendait malgré tout mieux que sa sœur, qui n'était finalement qu'une petite fille en dépit de tout son courage et qui n'avait peut-être au fond assumé ce travail que par légèreté enfantine.

Le désir qu'avait Gregor de voir sa mère fut bientôt satisfait. Pendant la journée, il ne voulait pas se montrer à la fenêtre, ne fût-ce que par égard pour ses parents ; ses quelques mètres carrés de plancher étaient peu de chose pour y ramper, la station allongée lui paraissait déjà pénible pour la nuit ; il n'éprouva bientôt plus le moindre plaisir à manger ; aussi avait-il pris l'habitude, pour se distraire, de se promener sur les murs et au plafond. C'est au plafond qu'il se tenait le plus volontiers ; c'était beaucoup mieux que d'être couché sur le plancher ; on y respirait plus librement, on se sentait dans tous ses membres agréablement balancé ; et, dans l'état d'heureux abandon où il se trouvait là-haut, il lui arrivait, à sa propre surprise, de se laisser tomber pour rebondir sur le plancher. Mais il commandait maintenant son corps naturellement beaucoup mieux qu'au début et ne se faisait pas de mal, même en tombant de si haut. Sa sœur remarqua tout de suite le nouveau passe-temps [1] qu'il avait trouvé — il laissait d'ailleurs des traces de colle sur son passage — et elle se mit en tête de faciliter autant que possible ses mouvements en retirant les meubles qui pouvaient le gêner, c'est-à-dire surtout la commode et le bureau. Mais elle n'était pas en mesure de le faire toute seule ; elle n'osait pas demander de l'aide à son père et on ne pouvait pas attendre de secours de la bonne, car cette enfant pouvait avoir seize ans ; elle tolérait vaillamment la situation depuis qu'on avait donné congé à l'ancienne cuisinière, mais elle avait demandé la faveur de rester barricadée

1. Il n'est plus possible de considérer Gregor comme un adulte ; il est redevenu un enfant, auquel il faut passer ses caprices.

dans la cuisine et de n'ouvrir que sur un ordre exprès ; il ne restait donc pas d'autre ressource à la sœur que de faire une fois appel à sa mère, en l'absence du père. La mère arriva donc dans une grande excitation et en poussant des exclamations de joie, qui cessèrent cependant quand elle fut arrivée devant la chambre de Gregor. La sœur vérifia naturellement tout d'abord si tout était en bon ordre avant de laisser entrer sa mère. Gregor s'était hâté de tirer son drap plus bas encore qu'à l'ordinaire et de le laisser retomber dans ses plis ; on eût dit vraiment qu'on l'avait jeté là par hasard sur le canapé. Gregor s'interdit d'espionner à travers le drap et renonça pour cette fois à apercevoir sa mère ; il était déjà suffisamment heureux qu'elle soit venue. « Tu peux entrer, on ne le voit pas », dit la jeune fille qui devait probablement tenir sa mère par la main. Gregor entendit les deux femmes qui essayaient avec leurs faibles forces de déplacer la vieille commode, assez lourde malgré tout ; c'était la sœur qui prenait sur elle le plus gros du travail, sans tenir compte des objurgations de sa mère, qui craignait qu'elle ne fît un effort. Cela prit beaucoup de temps. Après un bon quart d'heure de besogne, la mère déclara qu'il valait finalement mieux laisser la commode là où elle était ; d'abord, elle était trop lourde et elles n'en auraient jamais fini avant le retour du père, et s'il fallait la laisser au milieu de la pièce, on ne ferait qu'empêcher tout à fait Gregor de bouger ; et d'autre part, il n'était pas sûr qu'en retirant les meubles on lui fît plaisir. Elle avait l'impression du contraire : quant à elle, l'aspect du mur nu lui serrait le cœur ; pourquoi Gregor n'aurait-il pas la même impression ? il était depuis longtemps habitué à ses meubles et pourrait donc se sentir perdu dans une chambre vide. « Et dans ce cas-là », dit-elle encore tout doucement — depuis le début, elle chuchotait presque, comme si elle voulait éviter que Gregor, dont elle ignorait le refuge, pût même entendre le son de sa voix ; car, quant au sens de ses propos, elle était sûre qu'il ne pouvait pas les comprendre[1] — « et dans ce cas-là, est-ce que nous n'aurions pas l'air, en retirant les meubles, de renoncer à tout espoir de guérison et de l'abandonner sans réserve à son sort ? Je pense qu'il vaudrait mieux laisser la chambre exactement dans l'état où elle était auparavant, pour que Gregor trouve tout inchangé quand il nous reviendra et oublie ainsi plus facilement tout ce qui se sera passé entre-temps. »

En entendant ces propos de sa mère, Gregor se dit que ces deux mois[2] au cours desquels aucun être humain ne lui avait adressé la parole, en même temps que la vie monotone qu'il menait au sein de sa famille avaient dû lui troubler l'es-

1. Voir note 1, p. 64.
2. Kafka mesure l'écoulement du temps dans son récit : à la p. 72, un mois seulement avait passé.

prit ; sinon, il ne pouvait plus comprendre comment il avait pu sérieusement souhaiter qu'on vide sa chambre. Avait-il vraiment envie que cette pièce chaleureuse, confortablement remplie de vieux meubles de famille, soit changée en un repaire dans lequel il pourrait certes ramper librement dans tous les sens, mais au prix d'un oubli rapide et total de son ancienne condition d'homme ? Il était déjà tout près de l'oublier et il avait fallu la voix de sa mère, qu'il n'avait pas entendue depuis si longtemps, pour qu'il se ressaisisse[1]. Il ne fallait rien enlever ; tout devait rester en place ; il ne pouvait se passer de la bonne influence de ses meubles ; et si ses meubles empêchaient ses absurdes reptations, ce n'était pas un mal, mais un grand avantage.

Mais la sœur fut malheureusement d'une autre opinion ; elle avait pris l'habitude, non sans raison, il est vrai, de se considérer, en face de ses parents, comme experte pour tout ce qui regardait les affaires de Gregor, et il suffit, cette fois, que sa mère ait formulé cet avis, pour que Grete insistât non seulement sur l'éloignement de la commode et du bureau, comme ç'avait été au début son intention, mais sur celui de tous les meu-

1. La mère est la seule à garder dans ce récit des sentiments humains. Elle va jusqu'à comprendre Gregor mieux qu'il ne se comprend lui-même. Kafka n'a jamais évoqué qu'avec une extrême pudeur ses sentiments envers sa propre mère : *La Métamorphose* lui offre l'occasion de les exprimer indirectement.

bles, à l'exception de l'indispensable canapé. Si elle formulait cette exigence, ce n'était naturellement pas seulement par bravade enfantine ni à cause de la confiance en elle-même qu'elle avait acquise ces derniers temps de manière si soudaine et au travers de telles difficultés ; elle avait aussi observé réellement que Gregor avait besoin de beaucoup d'espace pour sa reptation, mais que les meubles, autant qu'on en pouvait juger, ne lui servaient au contraire à rien. Mais il était possible que fût intervenu aussi l'esprit romanesque des jeunes filles de son âge, qui cherche toujours à se satisfaire de toutes les occasions ; peut-être s'était-elle laissé inciter à rendre pire encore la situation de Gregor, afin de pouvoir faire encore davantage pour lui. Car personne, en dehors de Grete, n'oserait probablement mettre les pieds dans une pièce où il régnerait tout seul au milieu des murs nus.

Elle ne se laissa donc pas détourner de sa résolution par sa mère, à qui l'inquiétude qu'elle éprouvait dans cette pièce ôtait tout esprit de décision et qui ne tarda pas à garder le silence et à l'aider, dans la mesure de ses forces, à déménager la commode. Bon, Gregor pouvait à la rigueur se passer de la commode, mais il fallait absolument laisser le bureau. Et les deux femmes avaient à peine quitté la pièce avec la commode, qu'elles tenaient serrée contre elles en gémissant sous l'effort, que Gregor passa la tête sous le canapé pour examiner comment il pourrait lui-même intervenir, en y mettant autant de ménagement et de prudence qu'il lui serait possible. Mais le malheur voulut que ce fût sa mère qui revînt la première, pendant que Grete, dans la pièce à côté, les bras passés autour de la commode, la secouait de droite et de gauche, sans parvenir naturellement à la déplacer. Mais la mère n'était pas habituée à la vue de Gregor ; elle aurait pu en tomber malade ; aussi Gregor se hâta-t-il de partir épouvanté à reculons jusqu'à l'autre bout du canapé ; il ne put toutefois éviter que le drap ne fît un léger mouvement. Cela suffit pour attirer l'attention de sa mère ; elle s'arrêta court, resta sur place un moment, puis partit rejoindre Grete.

Bien que Gregor se soit dit constamment qu'il n'arrivait rien d'extraordinaire et qu'on déplaçait seulement quelques meubles, il dut bientôt convenir que ce va-et-vient des deux femmes, les phrases brèves qu'elles se criaient l'une à l'autre, le grincement des meubles sur le plancher, que tout cela lui faisait l'effet d'un remue-ménage, qui ne cessait d'augmenter de tous les côtés ; et il avait beau replier la tête et les pattes contre lui et presser son corps contre le sol, il fut contraint de se dire qu'il ne pourrait pas supporter cela longtemps. Elles lui vidaient sa chambre, on lui prenait tout ce à quoi il tenait ; elles avaient déjà enlevé le meuble où il rangeait sa scie à découper et ses autres outils ; voilà maintenant qu'elles dégageaient le bureau profondément enfoncé dans le plancher, sur lequel il avait écrit ses devoirs lorsqu'il était à l'école supérieure de commerce, au collège ou même déjà à l'école primaire ; non, ce n'était plus le moment de peser les bonnes intentions que les deux femmes pouvaient avoir ; il avait d'ailleurs presque oublié leur existence[1], car, dans leur extrême fatigue, elles avaient cessé de parler et l'on n'entendait plus que le lourd martèlement de leurs pas.

Il surgit alors de sa retraite, pendant qu'elles reprenaient leur souffle dans la pièce voisine, appuyées sur le bureau — il changea quatre fois la direction de sa course, sans parvenir à savoir ce qu'il devait sauver pour commencer ; c'est alors qu'il aperçut sur le mur l'image de la dame toute couverte de fourrure ; elle attira son attention, parce qu'elle restait seule sur le mur nu ; il grimpa en toute hâte sur la cloison, se pressa sur le verre, qui adhéra contre lui et dont la fraîcheur fit du bien à son ventre brûlant[2]. Cette gravure, en tout cas, qu'il recouvrait maintenant de son corps, personne ne viendrait la lui prendre. Il fit un effort pour tourner la tête vers la porte du séjour, pour pouvoir observer les deux femmes lorsqu'elles reviendraient.

1. Passage de l'affection à l'hostilité : Gregor s'enfonce toujours davantage dans son mal.
2. Sur le sens de ce passage, voir la Préface, p. 16-17.

Elles ne s'étaient pas accordé beaucoup de répit et revenaient déjà ; Grete avait pris sa mère par la taille et la portait presque. « Qu'allons-nous emporter, cette fois-ci ? », demanda-t-elle en promenant son regard autour d'elle. C'est alors que ses yeux croisèrent ceux de Gregor sur son mur. Elle parvint à garder contenance, sans doute à cause de la présence de sa mère, pencha son visage vers elle, pour l'empêcher de regarder autour d'elle et déclara, toute tremblante et sans prendre le temps de réfléchir : « Viens ! retournons donc un instant dans la pièce de séjour. » L'intention de Grete était claire et Gregor la comprit aussitôt : elle voulait d'abord mettre sa mère à l'abri, puis le déloger de son mur. Eh bien ! elle n'avait qu'à essayer ! Il était couché sur son image et il ne la lâchait pas. Plutôt sauter à la figure de Grete !

Mais les paroles de Grete n'avaient réussi qu'à inquiéter sa mère ; elle se détourna et aperçut l'énorme tache brune qui s'étalait sur le papier à fleurs, et avant même d'avoir pu reconnaître que ce qu'elle voyait était bien Gregor, elle hurla d'une voix rauque : « Oh ! mon Dieu, mon Dieu ! », sur quoi elle tomba sur le canapé en écartant les bras, comme si elle renonçait à tout, et resta là immobile. « Oh ! Gregor ! », cria la sœur en levant le poing et en le perçant du regard. C'étaient les premières paroles qu'elle lui eût adressées directement depuis la métamorphose. Elle courut chercher des sels dans la pièce voisine pour tirer sa mère de son évanouissement. Gregor voulut aider lui aussi — il serait toujours temps plus tard de sauver la gravure —, mais il restait collé au verre et dut faire un effort pour s'en arracher ; puis il courut dans la pièce voisine, comme s'il avait pu donner un bon conseil à sa sœur, comme autrefois, mais il dut se contenter de rester derrière elle sans bouger ; en fouillant parmi divers flacons, elle se retourna et fut à nouveau saisie d'effroi ; un flacon tomba sur le sol et se brisa sur le plancher : un éclat blessa Gregor au visage, une médecine corrosive se répandit autour de lui ; Grete, sans s'attarder davantage, saisit autant de flacons qu'elle pouvait en porter et s'élança avec eux pour rejoindre sa mère ; d'un coup de pied elle ferma la porte. Gregor était maintenant séparé de sa mère qui, par sa faute, était peut-être maintenant près de la mort[1] ; il ne pouvait ouvrir la porte sans chasser sa sœur, qui devait rester auprès de sa mère ; il n'avait désormais plus rien d'autre à faire qu'à attendre ; alors, assailli de remords et d'inquiétude, il se mit à ramper, à ramper sur tout, sur les murs, les meubles, le plafond pour tomber enfin dans son désespoir, lorsque toute la pièce se mit à tourner autour de lui, au milieu de la grande table.

1. L'arrière-plan psychanalytique apparaît ici en pleine lumière.

Un instant passa. Gregor restait étendu là, épuisé ; à l'entour, tout était silencieux, peut-être était-ce bon signe. Mais soudain on sonna. La bonne était naturellement enfermée dans sa cuisine. Grete dut donc aller ouvrir elle-même. C'était son père. « Qu'est-il arrivé ? », furent ses premiers mots. Sans doute l'expression de Grete lui avait-elle tout révélé. Grete lui répondit d'une voix étouffée — elle devait appuyer sans doute son visage sur la poitrine de son père : « Ma mère s'est évanouie, mais elle va déjà mieux. Gregor est sorti. » « Je m'y attendais », dit le père, « je vous l'ai toujours dit, mais vous autres femmes, vous ne voulez jamais rien entendre. » Il fut évident pour Gregor que son père s'était mépris sur les trop brèves paroles de Grete, et croyait qu'il s'était livré à quelque méfait. Gregor devait donc chercher à le calmer ; il n'avait, en effet, ni le temps ni la possibilité de le mettre au courant de ce qui s'était passé ; il se réfugia donc contre la porte de sa chambre et resta appuyé contre elle, afin que son père, en venant du vestibule, puisse voir immédiatement qu'il avait les meilleures intentions, qu'il allait retourner tout de suite dans sa chambre, qu'il n'était donc pas nécessaire de l'y contraindre : il suffisait d'ouvrir la porte, il disparaîtrait aussitôt.

Mais le père n'était pas d'humeur à entendre ces finesses. « Ah ! », s'écria-t-il dès qu'il fut entré, comme s'il était à la fois plein de fureur et de joie.

Gregor écarta la tête de la porte et la leva vers son père. Il ne l'avait jamais vraiment imaginé tel qu'il était devenu ; il est vrai que, ces derniers temps, à force de ramper comme il en avait pris l'habitude, il avait négligé de se soucier des événements dans le reste de la maison et il devait s'attendre à trouver du changement. Il n'empêche, il n'empêche, était-ce bien encore son père[1] ? Était-ce encore l'homme à bout de forces qui restait enfoui dans son lit quand Gregor partait autrefois en voyage professionnel, qui, le soir du retour, l'accueillait en robe de chambre, enfoncé dans son fauteuil, qui n'était même pas capable de se mettre debout et se contentait de lever le bras en signe de joie, et qui, lors des rares promenades familiales, quelques dimanches dans l'année et les jours de grande fête, traînait la jambe péniblement entre Gregor et sa mère, qui faisaient pourtant déjà leur possible pour marcher lentement ; cet homme empaqueté d'un vieux manteau, qui avançait péniblement, en prenant précautionneusement appui sur sa canne d'infirme et qui, lorsqu'il voulait dire quelque chose, s'arrêtait presque chaque fois en forçant ceux qui l'accompagnaient à former le cercle autour de lui ? Il se tenait tout droit aujourd'hui ; il était vêtu du strict uniforme bleu à boutons dorés que porte le personnel des institutions bancaires ; au-dessus du

1. Même transformation du père que dans *Le Verdict*. Voir déjà note 1, p. 54.

grand col raide de sa tunique se déployait son ample double menton ; sous ses sourcils en broussaille perçait le regard alerte et attentif de ses yeux noirs ; ses cheveux blancs, jadis en désordre, étaient maintenant lustrés et peignés avec soin, avec une raie méticuleusement dessinée. Il jeta sa casquette ornée d'un monogramme doré, sans doute celui d'une banque, à travers la pièce ; après avoir décrit un arc de cercle, elle alla atterrir sur le canapé ; après quoi, les mains dans les poches de son pantalon, les pans de son grand uniforme rejetés en arrière, il s'avança vers Gregor, le visage plein de fureur. Il ne savait sans doute pas lui-même ce qu'il voulait faire ; toujours est-il qu'il levait les pieds très haut et Gregor s'étonna de la taille gigantesque des semelles de ses bottes. Il ne s'arrêta pourtant pas à ce détail, il savait depuis le premier jour de sa vie nouvelle que son père considérait qu'envers lui seule la plus grande sévérité était de mise. Il se mit donc à courir devant son père, à s'arrêter quand son père restait en place, à repartir dès qu'il faisait un mouvement. Ils firent ainsi plusieurs fois le tour de la chambre[1] sans qu'il se passât rien de décisif ; comme tout se dé-

1. On lit dans la *Lettre à son père* (Pléiade, t. IV, p. 844) : « Terribles aussi étaient ces moments où tu courais en criant autour de la table pour nous attraper — tu n'en avais pas du tout l'intention, mais tu faisais semblant — et où ma mère, pour finir, avait l'air de nous sauver. Une fois de plus — telle était l'impression de l'enfant — on avait conservé la vie par l'effet de ta grâce et on continuait à la porter comme un présent immérité. »

roulait lentement, personne n'aurait même pu imaginer qu'il s'agissait d'une poursuite. Gregor resta donc provisoirement sur le plancher, d'autant qu'il pouvait craindre que, s'il avait pris la fuite par les murs ou par le plafond, son père eût pu voir là un raffinement de méchanceté. Il dut cependant s'avouer bientôt qu'il ne tiendrait pas longtemps à cette allure, car, pendant que son père faisait un pas, il était obligé d'exécuter toute une série de mouvements. Il commençait déjà à éprouver quelque difficulté à respirer ; ses poumons d'ailleurs, même dans les temps anciens, n'avaient jamais été particulièrement dignes de confiance. Tandis qu'il titubait de la sorte, rassemblant toutes ses forces pour la course, ouvrant à peine les yeux, ne pensant plus, dans l'espèce de torpeur où il était, qu'il y avait pour lui d'autres moyens de salut que la course, oubliant presque que les murs étaient là à sa disposition, des murs à vrai dire encombrés de meubles finement sculptés, pleins de dentelures et de pointes [1] — quelque chose vola près de lui, un objet qu'on venait de lancer avec légèreté et qui se mit à rouler à ses pieds. C'était une pomme ; une deuxième la suivit aussitôt ; Gregor resta sur place, terrorisé ; il était inutile de continuer à courir, car son père avait résolu de le bombarder. Il avait vidé la coupe de fruits sur la crédence et s'en était rem-

1. Les dentelures et les pointes, qu'il avait voulu conserver dans sa chambre et qui symbolisent son monde intérieur, livrent Gregor à la vindicte paternelle.

pli les poches et il tirait pomme après pomme, sans se soucier pour l'instant de bien viser. Ces petites pommes rouges roulaient sur le sol comme si elles étaient électrisées et allaient se cogner les unes contre les autres. Une pomme mollement lancée effleura le dos de Gregor, et glissa sans provoquer de dommages ; mais la suivante vint littéralement s'encastrer dans son dos ; Gregor voulut se traîner un peu plus loin, comme si l'épouvantable souffrance qui venait de le surprendre pouvait s'atténuer par un changement de lieu ; mais il se sentit cloué sur place et vint s'étaler sur le plancher dans un complet désarroi de tous ses sens. Son dernier regard lui permit encore de voir qu'on ouvrait brusquement la porte de sa chambre et, devant sa sœur en train de pousser des cris, il aperçut sa mère qui arrivait — en chemise, car la jeune fille l'avait déshabillée pour faciliter sa respiration pendant sa syncope — ; il la vit ensuite courir vers le père, il la vit perdre en chemin tous ses jupons l'un après l'autre, trébucher sur ses vêtements, se jeter sur le père, le saisir dans ses bras et enfin, ne faisant plus qu'un avec lui — mais en cet instant, les yeux de Gregor cessèrent de voir clair[1] — elle joignit les mains derrière la tête du père, pour le conjurer d'épargner la vie de son fils.

1. Répétition de la « scène primitive » (voir note 1, p. 46). Une référence consciente aux images freudiennes est ici plus que probable.

III

La grave blessure de Gregor, dont il souffrit pendant plus d'un mois[1] — la pomme, que personne n'avait osé retirer, restait fichée dans sa chair, comme un souvenir visible —, semblait avoir rappelé à son père lui-même que Gregor, malgré son triste et répugnant aspect, n'en demeurait pas moins un membre de la famille, qu'on ne pouvait pas traiter en ennemi ; le devoir familial exigeait de ravaler sa répulsion et de le supporter ; il suffisait qu'on le supporte.

Et si Gregor avait perdu à cause de sa blessure et probablement pour toujours une grande partie de son agilité — il lui fallait provisoirement, comme à un vieil invalide, de longues, longues minutes pour traverser sa chambre, et quant à monter sur le mur, on n'y pouvait même plus songer —, cette aggravation de son état avait en-

1. Trois mois se sont donc écoulés alors depuis la nuit de la métamorphose.

traîné une compensation, selon lui tout à fait suffisante, dans le fait qu'on ouvrait maintenant vers le soir la porte de la salle de séjour, qu'il guettait déjà des yeux depuis une ou deux heures. Couché dans l'ombre de sa chambre, invisible de l'autre côté, il pouvait voir maintenant la famille entière assise à table autour de la lampe ; il pouvait entendre leurs conversations beaucoup mieux qu'autrefois, en quelque sorte avec l'autorisation de tous.

Ce n'étaient certes plus les entretiens animés de l'ancien temps auxquels Gregor pensait avec quelque envie, lorsque fatigué de sa journée, il lui fallait entrer dans les draps humides de ses petites chambres d'hôtel. Tout se passait maintenant très silencieusement. Après le dîner, le père ne tardait pas à s'endormir sur sa chaise ; la mère et la fille s'exhortaient mutuellement au silence ; la mère, courbée sous la lampe, cousait de la lingerie fine pour un magasin de dames ; la sœur, engagée comme vendeuse, apprenait le soir la sténographie et le français, dans l'espoir d'obtenir peut-être un jour une situation meilleure. Quelquefois, le père se réveillait et, sans se rendre compte qu'il avait fait un somme, il disait à la mère : « Combien de temps as-tu encore passé à ta couture ! », sur quoi il se rendormait, tandis que la mère et la sœur échangeaient un pâle sourire.

Avec une sorte d'entêtement, le père refusait

de quitter son uniforme, même quand il était chez lui, et tandis que la robe de chambre restait inutilement pendue au portemanteau, il sommeillait tout habillé à sa place, comme s'il était à tout instant prêt à servir et à prêter l'oreille à la voix de son supérieur. L'uniforme, qui n'était déjà pas tout neuf lorsqu'il l'avait reçu, n'était donc pas de la première propreté, malgré le soin qu'en prenaient la mère et la sœur, et pendant des soirées entières, Gregor restait assis à regarder le vêtement couvert de taches, avec ses boutons dorés toujours bien astiqués, dans lequel le vieillard dormait très inconfortablement et pourtant d'un sommeil paisible.

Dès que l'horloge sonnait dix heures, la mère cherchait à réveiller son mari en lui adressant doucement la parole et essayait de l'inciter à gagner son lit, car ce n'était pas ici le vrai sommeil, dont le père, qui reprenait son service à six heures, avait un tel besoin. Mais, avec l'entêtement dont il faisait preuve depuis qu'il avait pris du service à la banque, il insistait pour rester encore à table, tout en continuant à s'y endormir régulièrement, et il était ensuite très difficile de l'amener à échanger sa chaise contre son lit. La mère et la sœur avaient beau multiplier leurs petites exhortations pour le décider, il restait encore des quarts d'heure entiers à hocher la tête, gardait les yeux fermés et refusait de se lever. La mère le tirait par la manche, lui disait à l'oreille des choses gentilles, la sœur quittait son travail pour prêter main-forte à sa mère : tout cela restait sans effet sur le père, il ne faisait que s'enfoncer encore plus profondément dans son fauteuil. C'est seulement quand les femmes le prenaient sous les épaules qu'il ouvrait les yeux, regardait alternativement sa femme et sa fille tout en disant d'ordinaire : « On appelle cela une vie ! et c'est là tout le repos de mes vieux jours ? » Et, appuyé sur les deux femmes, il se levait avec peine, comme s'il était pour lui-même le fardeau le plus encombrant, se laissait conduire jusqu'à la porte par les deux femmes ; arrivé là, il leur faisait signe de s'éloigner et continuait seul son chemin, tandis que la mère rangeait en hâte sa couture, la fille son porte-plume, pour courir derrière le père et continuer à l'aider.

Qui donc, dans cette famille usée de travail et recrue de fatigue, avait encore le temps de s'occuper de Gregor plus qu'il n'était absolument nécessaire ? On réduisit plus encore le budget du ménage ; on se décida à renvoyer la bonne ; une énorme femme de peine au visage osseux, la tête environnée de cheveux blancs, venait le matin et le soir pour les gros travaux ; c'est la mère qui, en plus de toute sa couture, s'occupait de tout le reste. Il arriva même qu'on vendît différents bijoux de famille, qui avaient fait autrefois le bonheur de la mère et de la fille, lorsqu'elles les avaient portés lors de leurs sorties et des festivités, ainsi que Gregor l'apprit le soir en entendant la famille commenter les prix qu'on avait obtenus. Mais le plus gros sujet de plainte était toujours qu'il était impossible de quitter l'appartement, devenu trop grand dans la situation actuelle, parce qu'on ne pouvait pas envisager le transport de Gregor. À vrai dire, Gregor comprenait bien que ce n'était pas sa présence qui constituait le principal obstacle à un déménagement, car on aurait pu facilement le transporter dans une caisse appropriée, avec des trous pour lui permettre de respirer[1] ; ce qui empêchait surtout la famille de changer de domicile, était bien plutôt le sentiment de désespoir et l'idée qu'ils avaient été frappés par un malheur sans exemple dans leur parenté et dans leur milieu. Toutes les obligations que le monde impose aux pauvres gens, ils les accomplissaient à fond : le père allait chercher le déjeuner des petits employés de la banque, la mère se tuait à coudre du linge pour des étrangers, la sœur courait derrière son comptoir pour répondre aux ordres des clients, mais leurs forces ne pouvaient pas aller au-delà. Et Gregor recommençait à souffrir de sa blessure dans le dos, quand sa mère et sa sœur, après avoir amené son père jusqu'à son lit, revenaient dans la salle, laissaient là leur ouvrage, rapprochaient leurs chai-

1. L'image de la caisse percée de trous est reprise dans *Communication à une académie* (Folio classique n° 2191, p. 154).

ses[1], restaient joue contre joue, puis quand la mère, en désignant la porte de Gregor, disait à Grete : « Allons ! C'est le moment de fermer ! » et qu'il se trouvait à nouveau dans le noir, tandis que, dans la pièce à côté, les femmes mêlaient leurs larmes ou gardaient les yeux fixés sur la table, sans même verser un pleur.

Gregor passait les jours et les nuits presque entièrement sans sommeil. Il lui arrivait de penser que, la prochaine fois que la porte s'ouvrirait, il recommencerait, tout comme autrefois, à reprendre en main les affaires de la famille ; un jour, après que bien du temps eut passé, il revit en pensée le patron et le fondé de pouvoir, les commis et les apprentis, le garçon de bureau, qui avait l'intelligence si courte, deux ou trois amis employés dans d'autres magasins, une femme de chambre dans un hôtel de province — un souvenir fugitif, qui lui était resté cher —, la caissière d'une chapellerie, à laquelle il avait fait sérieusement, mais trop lentement, la cour — tous lui revinrent à l'esprit, mêlés à des étrangers ou à des gens qu'il avait perdus de vue ; mais au lieu de venir en aide à sa famille ou à lui-même, ils se détournaient tous de lui et il se félicitait de les voir disparaître de sa pensée. Une autre fois, il n'était plus du tout d'humeur à s'occuper de sa

1. Le caractère également métaphorique de la blessure réapparaît : la souffrance revient dès que le père est parti ou lorsque Gregor se retrouve isolé.

famille ; il n'y avait plus en lui que de la fureur à cause du manque de soins dans lequel on le laissait, et, bien qu'il ne pût rien imaginer qui fût capable d'exciter sa faim, il forgeait des plans pour faire irruption à l'office afin d'y prendre tout ce qui, malgré son manque d'appétit, lui revenait de droit. Le matin et à midi, avant de partir pour son travail et sans même se demander ce qui pourrait faire un quelconque plaisir à Gregor, sa sœur poussait du pied dans sa chambre la première nourriture venue, et la poussait le soir d'un coup de balai, sans se soucier de savoir s'il y avait goûté ou s'il l'avait laissée sans y toucher, ce qui était le cas le plus fréquent. Quant au nettoyage de la chambre, auquel maintenant elle procédait toujours le soir, il eût été difficile d'y passer moins de temps. Des traces de saleté sillonnaient les murs, des petits tas de poussière et d'ordure traînaient ici ou là. Les premiers temps, Gregor s'installait dans les coins les plus caractéristiques de ce point de vue, au moment de l'arrivée de sa sœur, pour lui exprimer de la sorte une manière de reproche. Mais il aurait pu y rester des semaines entières sans que sa sœur eût amélioré sa façon de faire ; elle voyait la saleté aussi bien que lui, mais elle était bien décidée à ne pas y toucher. Et cependant elle veillait avec une susceptibilité toute particulière, qui s'était emparée d'ailleurs de toute la famille, à ce que lui fût réservé l'entretien de la chambre.

Un jour, la mère avait soumis la chambre de Gregor à un grand nettoyage, qui avait nécessité plusieurs seaux d'eau — toute cette humidité avait d'ailleurs été pour Gregor une cause de souffrance et il était resté couché de tout son long sur le canapé, immobile et plein d'aigreur —, mais le châtiment pour la mère ne s'était pas fait attendre. À peine la sœur eut-elle remarqué le changement dans la chambre de Gregor que, se sentant profondément offensée, elle courut dans la salle de séjour et, en dépit des adjurations de la mère, qui levait les deux mains vers le ciel, elle fut saisie d'une crise de larmes, à laquelle les parents — car le père, effrayé, s'était naturellement levé, lui aussi, de sa chaise — assistèrent d'abord avec un étonnement impuissant ; puis l'agitation les gagna à leur tour ; le père, à droite, faisait des reproches à la mère, parce qu'elle n'avait pas laissé à sa fille le soin du nettoyage ; à gauche, il interdisait à Grete de toucher désormais à la chambre de Gregor ; il ne se connaissait plus à force d'énervement et la mère cherchait à l'entraîner dans la chambre à coucher ; Grete, secouée de sanglots, tapait sur la table avec ses petits poings ; et Gregor sifflait de rage, parce que personne ne songeait à fermer la porte et à lui épargner ce spectacle et ce vacarme.

Mais même si la sœur, épuisée par son travail professionnel, s'était lassée de s'occuper de Gregor comme elle le faisait auparavant, la mère n'aurait pas eu besoin de le faire à sa place, sans que Gregor fût pour autant négligé. Car il y avait maintenant la femme de peine. Cette vieille veuve avait sûrement dû, charpentée comme elle était, supporter les pires épreuves au cours de sa longue vie et elle n'éprouvait pas de véritable répugnance devant Gregor. Bien qu'elle ne fût pas curieuse, elle avait une fois ouvert par hasard la porte de la chambre, et, à la vue de Gregor, qui, tout à fait étonné, s'était mis à courir, bien que personne ne l'eût chassé, elle était demeurée stupéfaite, les deux mains jointes dans son giron. Depuis, elle ne négligeait jamais, soir et matin, d'entrouvrir la porte et de jeter un coup d'œil sur Gregor. Au début, elle l'appelait en se servant de mots qu'elle devait probablement considérer comme amicaux, tels que : « Arrive ici, vieux bousier ! » ou « Regardez-moi ce vieux bousier[1] ! » Gregor ne répondait pas à ces interpellations, il restait immobile à sa place, comme si on n'avait pas ouvert la porte. Si seulement on avait donné l'ordre à cette domestique de nettoyer sa chambre tous les jours, au lieu de la laisser le tourmenter inutilement ! Un jour, de grand matin — une violente pluie, peut-être annonciatrice de

1. Cette dénomination précise l'apparence de l'insecte : c'est un gros coléoptère, un bousier.

la venue du printemps[1], frappait contre les vitres — Gregor fut à tel point irrité contre la domestique, qui s'apprêtait à lui tenir ses propos ordinaires, qu'il se tourna vers elle, d'un mouvement à vrai dire lent et gauche, mais comme pour l'attaquer. Mais la domestique, au lieu d'avoir peur, souleva seulement une chaise qui se trouvait à proximité de la porte et, à la voir là, debout, la bouche grande ouverte, on comprenait que son intention était de ne refermer la bouche que quand le siège se serait abattu sur le dos de Gregor. « Eh bien ! c'est tout ? » demanda-t-elle, en voyant Gregor faire demi-tour, puis elle remit tranquillement la chaise dans son coin.

Gregor ne mangeait presque plus. Quand il passait par hasard à côté de la nourriture qu'on lui avait préparée, il en prenait seulement un morceau dans la bouche, par manière de jeu, l'y gardait plusieurs heures pour le recracher ensuite. Il pensa d'abord que c'était la tristesse qu'il éprouvait à cause de l'état de sa chambre qui l'empêchait de manger ; mais c'était précisément avec ces transformations qu'il s'était aisément réconcilié. On s'était habitué à empiler dans cette chambre tous les objets qu'on ne pouvait pas mettre ailleurs et il y en avait un grand nombre, car on avait loué une pièce de l'apparte-

1. Une autre indication qui situe le récit dans le temps : l'action a dû commencer en automne. Il sera question plus loin de la fête de Noël qui a eu lieu depuis le jour de la métamorphose.

ment à trois messieurs. Ces messieurs d'allure grave — tous trois portaient la barbe, comme Gregor le constata un jour à travers la fente de la porte — exigeaient un ordre méticuleux, non seulement dans leur chambre, mais, puisqu'ils avaient loué à cet endroit, dans tout le ménage et en premier lieu à la cuisine. Ils ne toléraient aucun fouillis inutile ni surtout rien de sale. Ils avaient d'ailleurs apporté eux-mêmes la plus grande partie de leur équipement. Beaucoup d'objets étaient de la sorte devenus inutiles, des objets qui n'étaient pas vendables, mais que malgré tout on ne voulait pas jeter. Tous prirent le chemin de la chambre de Gregor. Suivis bientôt par la poubelle où l'on jetait les cendres et par la boîte à ordures de la cuisine. Tout ce qui paraissait à première vue inutile, la femme de peine, toujours pressée, l'enfournait simplement dans la chambre de Gregor ; celui-ci n'apercevait heureusement d'ordinaire que l'objet en question et la main qui le tenait. La femme de peine avait peut-être l'intention, quand elle en trouverait le temps ou qu'elle en aurait l'occasion, de venir rechercher ces choses ou de les jeter toutes à la fois ; mais en fait elles étaient restées à l'endroit même où on les avait reléguées le premier jour, à moins que Gregor ne fût venu rôder dans ce bazar et ne l'eût déplacé, ce qu'il fit d'abord contraint et forcé parce qu'il ne lui restait plus aucune place pour bouger, mais ensuite avec un plaisir croissant, encore qu'après ces randonnées, il restât immobile pendant des heures, triste et las à périr.

Comme les locataires prenaient quelquefois également leur repas du soir à la maison dans la salle de séjour, la porte de celle-ci restait parfois fermée, mais Gregor renonçait volontiers à l'ouverture de la porte ; il lui était arrivé, certains soirs où elle était ouverte, de ne pas en avoir tiré parti et de s'être réfugié dans le coin le plus sombre de sa chambre, sans que sa famille s'en fût aperçue. Mais un soir, la femme de peine avait laissé la porte du séjour entrouverte, même quand les trois locataires rentrèrent et qu'on alluma la lumière. Ils allèrent s'asseoir au haut bout de la table, là où jadis le père, la mère et Gregor prenaient leurs repas, ils déplièrent leurs serviettes, prirent en main leur fourchette et leur couteau. La mère apparut aussitôt dans l'ouverture de la porte, portant un plat de viande et immédiatement derrière elle sa fille, avec un échafaudage de pommes de terre sur un autre plat. Des deux mets s'élevait une épaisse fumée. Les locataires se penchèrent sur ces plats qu'on venait de poser devant eux, comme pour les examiner, et en effet, celui qui était assis au milieu et auquel les deux autres semblaient concéder de l'autorité, découpa un morceau de viande dans le plat, manifestement pour vérifier si elle était cuite à point ou s'il fallait par hasard la renvoyer à la cuisine. Il parut satisfait et la mère et la fille, qui l'avaient regardé faire avec inquiétude, purent à nouveau respirer et sourire.

La famille elle-même mangeait à la cuisine. Le père cependant, avant de s'y rendre, entra dans la salle de séjour et, après s'être une fois incliné, fit le tour de la table, sa calotte à la main. Les locataires se soulevèrent tous les trois de leur siège en marmonnant quelque chose dans leur barbe. Lorsqu'ils se trouvèrent seuls à nouveau, ils se mirent à manger sans presque s'adresser la parole. Il parut curieux à Gregor de discerner parmi les divers bruits du repas celui que leurs dents ne cessaient de faire en mâchant, comme s'il s'agissait de lui démontrer qu'il faut des dents pour manger et que la plus belle mâchoire, quand elle est édentée, n'arrive à rien. « J'ai de l'appétit », se disait Gregor pensivement, « mais pas pour ces choses-là[1]. Comme ces trois locataires savent se nourrir, alors que je suis en train de périr ! »

Ce soir-là, précisément — Gregor ne se rappelait pas, les jours précédents, avoir jamais en-

1. Ici apparaît le thème de la « nourriture inconnue », que Kafka développera plus tard plus amplement dans *Un artiste de la faim* (Folio classique nº 2191, p. 202) et dans *Les Recherches d'un chien* (Pléiade, t. II, p. 674-713). Dans *La Métamorphose*, il est suggéré surtout dans l'épisode suivant, celui du morceau de musique que joue Grete sur son violon. Gregor souhaite accéder à cette nourriture spirituelle ; mais sa misère est telle que même cette évasion lui est interdite.

tendu le son du violon —, ce soir-là, on entendit un air de violon qui venait de la cuisine. Les locataires avaient terminé leur dîner, celui du milieu avait tiré un journal, en avait donné une feuille à chacun des deux autres et maintenant, renversés sur le dossier de leur chaise, ils lisaient en fumant. Lorsqu'on commença à jouer du violon, ils tendirent l'oreille, se levèrent et allèrent sur la pointe des pieds jusqu'à la porte du vestibule, où ils restèrent debout, pressés les uns contre les autres. On avait dû les entendre de la cuisine, car le père s'écria : « Le violon gêne-t-il ces messieurs ? On peut l'arrêter tout de suite. » « Au contraire », dit le monsieur du milieu, « la demoiselle ne voudrait-elle pas entrer et jouer ici dans la pièce ? c'est bien plus commode et plus agréable. » « Oh ! je vous en prie », répondit le père, comme s'il était lui-même le violoniste. Les messieurs rentrèrent dans la pièce et attendirent. Bientôt arriva le père avec le pupitre, suivi de la mère avec la partition et de la sœur avec son violon. La sœur prépara tranquillement tout ce qu'il fallait pour se mettre à jouer ; les parents, qui n'avaient jamais loué de chambre auparavant et qui, à cause de cela, exagéraient la politesse envers leurs locataires, n'osaient pas s'asseoir sur leurs chaises ; le père restait appuyé à la porte, la main droite entre deux boutons de sa livrée soigneusement fermée ; mais un des messieurs proposa une chaise à la mère qui, laissant le siège là où le monsieur l'avait posé par hasard, s'assit à l'écart dans un coin.

Grete se mit à jouer ; le père et la mère suivaient attentivement, chacun de leur côté, le mouvement de ses mains. Gregor, attiré par la musique, s'était un peu risqué en avant et il passait déjà la tête dans la salle. Il s'étonnait à peine d'avoir presque entièrement cessé, ces derniers temps, de tenir compte des gens ; jadis, il y mettait son point d'honneur. Et pourtant, il n'aurait jamais eu plus de raisons de se cacher, car, à cause de la saleté qui recouvrait toute sa chambre et qui s'envolait à la moindre occasion, il était lui-même couvert de poussière ; des fils, des cheveux, des restes de nourriture traînaient sur son dos et sur ses flancs ; son indifférence envers tout était bien trop grande pour qu'il songeât encore, comme il le faisait auparavant plusieurs fois par jour, à se coucher sur le dos pour se brosser sur le tapis. Et, malgré l'état où il se trouvait, il n'éprouva aucune vergogne à avancer d'un pas sur le plancher immaculé [1] de la salle de séjour.

Il faut dire que personne ne prenait garde à lui.

1. Le plancher est immaculé ; Gregor, non seulement dans son apparence physique, mais intérieurement aussi, est immonde. Il s'est identifié maintenant à son mal, qu'il a le sentiment de véhiculer avec lui. Si la métamorphose le rejetait d'abord en dehors de la société, il apparaît maintenant qu'elle lui a fait perdre l'innocence.

La famille était entièrement prise par le jeu du violon ; les locataires, en revanche, qui, les mains dans les poches de leur pantalon, s'étaient tenus tout d'abord si près du pupitre qu'ils auraient pu lire la partition, ce qui devait certainement gêner Grete, avaient fini, en baissant la tête et en se parlant à mi-voix, par se retirer du côté de la fenêtre où, sous les regards inquiets du père, ils avaient décidé de rester. On comprenait maintenant avec plus d'évidence qu'il n'était nécessaire qu'après avoir espéré entendre un beau morceau de violon ou du moins quelque chose de récréatif, ils avaient été déçus dans leur attente, qu'ils étaient lassés de ce concert et qu'ils n'acceptaient plus que par politesse d'être ainsi dérangés dans leur repos. À la façon déjà dont tous trois chassaient en l'air la fumée de leurs cigares par le nez et par la bouche, on devinait leur grande nervosité. Et Grete pourtant jouait si bien. Elle avait le visage penché de côté et, de ses yeux attentifs et tristes, elle suivait les notes sur les portées. Gregor fit un pas de plus en rampant, la tête collée au sol, pour essayer de rencontrer son regard. N'était-il qu'une bête, si la musique l'émouvait pareillement ? Il avait l'impression que s'ouvrait devant lui le chemin de la nourriture inconnue à laquelle il aspirait si ardemment. Il était décidé à se frayer un passage jusqu'à sa sœur, à la tirer par sa jupe pour lui faire comprendre qu'elle devait venir dans sa chambre avec son violon, car personne ne saurait profiter de sa musique autant qu'il s'apprêtait à le faire. Il ne la laisserait plus quitter sa chambre, aussi longtemps du moins qu'il resterait en vie[1] ; pour la première fois, son aspect terrifiant le servirait ; il serait à toutes les portes à la fois, il cracherait son venin sur les agresseurs ; il n'exercerait d'ailleurs aucune contrainte sur sa sœur, elle resterait de son plein gré ; elle s'assiérait à côté de lui sur le canapé, pencherait l'oreille vers lui ; il lui confierait alors qu'il avait la ferme intention de l'envoyer au Conservatoire et que, si le malheur n'était pas arrivé, il avait eu le projet de l'annoncer à tout le monde à la Noël dernière (la Noël était bien passée ?), sans s'inquiéter des objections. Émue par cette déclaration, elle fondrait en larmes et Gregor se redresserait jusqu'à la hauteur de son épaule et l'embrasserait dans le cou que, depuis qu'elle travaillait au magasin, elle gardait nu, sans col ni ruban[2].

« Monsieur Samsa ! » cria au père le monsieur du milieu ; sans dire un seul mot, il désignait de l'index Gregor, qui s'avançait lentement. Le violon se tut, le monsieur du milieu se tourna

1. L'expression souligne, comme les lignes suivantes, le caractère fantasmatique de la scène.

2. Le 15 septembre 1912, lors des fiançailles de sa sœur Valli, Kafka note dans son *Journal* : « Amour entre frère et sœur — répétition de l'amour entre le père et la mère » (Pléiade, t. III, p. 291).

d'abord vers ses amis en souriant et en hochant la tête, puis il porta à nouveau ses regards du côté de Gregor. Le père trouva plus important, au lieu de chasser Gregor, d'apaiser d'abord ses locataires, bien que ceux-ci ne semblassent nullement nerveux et que Gregor parût les amuser plus que le violon. Il bondit vers eux et chercha, les bras écartés, à les refouler dans leur chambre, tout en masquant avec son corps la vue de Gregor. Ils commencèrent alors à se fâcher un peu, sans qu'on pût savoir si c'était à cause de l'attitude du père ou parce qu'ils venaient soudain de comprendre qu'ils avaient eu, sans le savoir, un voisin de chambre tel que Gregor. Ils demandèrent des explications au père, en levant les bras et en tirant nerveusement sur leur barbe et en ne reculant vers leur chambre que pas à pas. Entre-temps, la sœur était sortie de la torpeur dans laquelle elle était tombée quand son jeu avait été si soudainement interrompu ; après avoir un moment laissé mollement tomber ses bras, qui tenaient encore violon et archet, et continué à regarder sa partition, comme si elle jouait encore, elle s'était tout à coup ressaisie, avait déposé son instrument sur les genoux de sa mère — qui était restée assise sur sa chaise, aux prises avec un étouffement, et qu'on entendait respirer péniblement — et elle s'était précipitée vers la chambre voisine, dont les locataires, poussés par le père, se rapprochaient maintenant un peu plus vite. On vit, sous les mains expertes de la sœur, oreillers et couvertures voler en l'air et retomber en bon ordre sur les lits. Les trois messieurs n'avaient pas encore atteint leur chambre, qu'elle avait déjà terminé de faire les lits et s'était glissée au-dehors. Quant au père, il avait été repris à ce point par son entêtement qu'il finissait par oublier le respect qu'en tout état de cause il devait à ses locataires. Il continuait à les presser toujours davantage, jusqu'au moment où le monsieur du milieu, parvenu déjà au seuil de sa chambre, frappa violemment du pied sur le sol, obligeant le père à s'arrêter : « Je déclare », dit-il en levant la main et en cherchant du regard la mère et la fille, « que, vu les conditions répugnantes qui règnent dans cet appartement et dans cette famille » — ce disant, il cracha par terre d'un air décidé —, « je déclare que je vous donne congé sur-le-champ. Bien entendu, je ne paierai pas un sou pour les journées où j'ai habité ici. Je vais voir au contraire si je ne dois pas exiger de vous un dédommagement, qu'il serait, croyez-moi, très facile de motiver. » Il se tut en regardant devant lui, comme s'il attendait encore quelque chose. Effectivement, ses deux amis reprirent aussitôt la parole : « Nous aussi, nous vous donnons congé à l'instant même. » Là-dessus, il saisit la poignée et claqua la porte.

Le père s'avança vers sa chaise en tâtonnant et se laissa tomber. On eût dit qu'il s'allongeait pour sa petite sieste vespérale, mais qu'il ne pouvait plus tenir sa tête, et aux mouvements qu'elle faisait, on voyait qu'il ne dormait pas du tout. Gregor était resté couché tout ce temps-là à la place où l'avaient surpris les locataires. La déception que lui causait l'échec de son plan, mais peut-être aussi la faiblesse due à ses jeûnes prolongés l'empêchaient de faire le moindre mouvement. Il redoutait comme une quasi-certitude pour l'instant suivant un total effondrement dont il allait être la victime et il attendait. Même le bruit que fit le violon, que les doigts tremblants de sa mère avaient lâché et qui venait de tomber sur le sol, ne le fit pas sursauter.

« Mes chers parents », dit la sœur en frappant sur la table en manière d'introduction, « cela ne peut plus continuer comme cela. Si vous ne vous en rendez pas compte, j'en suis, quant à moi, convaincue. Je ne veux pas, devant cette horrible bête, prononcer le nom de mon frère et je me contente de dire : il faut nous débarrasser de ça[1]. Nous avons essayé tout ce qui était humainement possible pour prendre soin de lui et pour le tolérer. Je ne crois pas que personne puisse nous faire le moindre reproche. »

« Elle a mille fois raison », dit le père à part lui. La mère, qui ne parvenait toujours pas à retrouver son souffle, se mit à tousser d'une voix

1. Gregor est désormais réduit à l'état de chose.

caverneuse en tenant sa main devant la bouche, avec une expression hagarde dans les yeux.

La sœur alla vivement vers sa mère et lui tint le front. Le père, à qui les paroles de sa fille semblaient avoir inspiré des idées plus précises, s'était redressé sur son siège, jouait avec sa casquette de service au milieu des assiettes qui étaient restées sur la table après le dîner des locataires et, de temps en temps, portait ses regards sur Gregor, qui restait immobile.

« Il faut chercher à nous en débarrasser », dit la sœur en s'adressant uniquement à son père, car la mère, à force de tousser, ne pouvait rien entendre, « cette chose-là peut encore vous mener tous les deux dans la tombe, cela ne tardera pas. S'il faut travailler dur comme nous le faisons tous, on ne peut pas avoir par-dessus le marché ce supplice perpétuel à la maison. D'ailleurs, je n'en peux plus. » Et elle fondit en larmes si violemment que ses pleurs coulaient sur le visage de sa mère ; Grete les essuyait d'un geste machinal de la main.

« Mon enfant ! » dit le père d'une voix apitoyée et en marquant une véritable compréhension, « mais que faire ? »

La sœur se contenta de hausser les épaules pour exprimer la perplexité qui, depuis qu'elle s'était mise à pleurer, avait remplacé sa précédente assurance.

« Si seulement il nous comprenait », dit le

père comme une question, mais la sœur secoua violemment la main au milieu de ses larmes, pour signifier qu'il ne fallait pas y compter.

« Si seulement il nous comprenait », répéta le père — et en fermant les yeux, il exprimait qu'il partageait la conviction de sa fille sur l'impossibilité d'une telle hypothèse —, « s'il nous comprenait, on pourrait peut-être arriver à un accord avec lui. Mais, dans ces conditions... »

« Il faut qu'il s'en aille, père », s'écria la sœur, « il n'y a pas d'autre moyen. Tu n'as qu'à tâcher de te débarrasser de l'idée qu'il s'agit de Gregor. Tout votre malheur vient de l'avoir cru si longtemps. Mais comment pourrait-ce être Gregor ? Si c'était Gregor, il y a longtemps qu'il aurait compris qu'il est impossible de faire cohabiter des êtres humains avec un tel animal, et il serait parti de lui-même[1]. Dans ce cas-là, nous n'aurions plus de frère, mais nous pourrions continuer à vivre et nous honorerions sa mémoire. Tandis que cet animal nous persécute, il fait fuir les locataires, il veut manifestement prendre possession de tout l'appartement et nous faire coucher dans la rue. Regarde, père », cria-t-elle tout à coup, « le voilà qui recommence ! » Et, dans un accès de peur, qui resta tout à fait incompréhensible pour Gregor, elle abandonna même sa

1. Gregor entend ces propos et il va en fait s'y conformer. Il va mourir en pensant à sa famille ; ce sera son dernier acte humain.

mère, bondit littéralement de sa chaise, comme si elle préférait sacrifier sa mère plutôt que de rester à proximité de Gregor et alla se réfugier derrière son père qui, uniquement affolé par l'attitude de sa fille, se dressa à son tour, en levant à demi les bras devant elle comme s'il voulait la protéger.

Mais Gregor n'avait pas le moins du monde l'intention de faire peur à quiconque, surtout pas à sa sœur. Il avait simplement commencé à se tourner pour rentrer dans sa chambre, mais il faut dire que ce mouvement était bien fait pour attirer l'attention, car, à cause de sa mauvaise condition physique, il était obligé, pour prendre les tournants difficiles, de s'aider de la tête, qu'il soulevait et laissait retomber sur le sol plusieurs fois de suite. Il s'arrêta et se retourna. On avait l'air d'avoir reconnu sa bonne intention. Ce n'avait été qu'un instant d'épouvante. Tout le monde le regardait maintenant tristement et sans rien dire[1]. La mère était couchée sur sa chaise, les jambes étendues et serrées l'une contre l'autre ; le père et sa fille étaient assis l'un à côté de l'autre, la fille tenait son père par le cou.

« Je vais peut-être pouvoir tourner maintenant », pensa Gregor, en reprenant sa besogne. Il ne pouvait, dans son effort, réprimer une sorte de

1. Kafka introduit ici une halte dans son récit et comme une sorte de semi-réconciliation.

halètement et devait s'arrêter de temps en temps pour se reposer. Mais personne maintenant ne le pressait ; on le laissait faire tout seul. Quand il eut terminé son demi-tour, il recommença aussitôt à battre en retraite droit devant lui. Il s'étonnait de la grande distance qui le séparait de sa chambre et ne comprenait pas que, faible comme il était, il ait pu faire le même chemin un instant plus tôt sans même le remarquer. Uniquement soucieux de ramper aussi vite qu'il le pouvait, il s'aperçut à peine qu'aucune parole, aucune exclamation de sa famille ne venait le gêner. C'est seulement quand il fut arrivé à la porte qu'il tourna la tête, pas complètement, car il sentait un raidissement dans le cou, assez cependant pour voir que, derrière lui, rien n'avait changé ; seule sa sœur s'était levée. Son dernier regard frôla sa mère, qui était maintenant tout à fait endormie.

Il était à peine arrivé dans sa chambre que la porte fut vivement poussée, verrouillée et fermée à double tour. Ce bruit soudain lui fit une telle peur que ses pattes se dérobèrent sous lui. C'était sa sœur qui s'était précipitée de la sorte. Elle était restée debout à attendre, puis, légère comme elle était, avait bondi en avant ; Gregor ne l'avait même pas entendue venir. « Enfin ! » cria-t-elle à ses parents, après avoir tourné la clef dans la serrure.

« Et maintenant ? » se demanda Gregor en se retrouvant dans le noir. Il ne tarda pas à s'apercevoir qu'il ne pouvait plus bouger du tout. Il n'en fut pas étonné, il lui paraissait plutôt étrange d'avoir pu continuer à se mouvoir jusqu'à présent sur des pattes aussi grêles. Il éprouvait au demeurant une sensation de bien-être relatif. Il avait, il est vrai, des douleurs sur tout le corps, mais il lui sembla qu'elles diminuaient peu à peu et qu'elles allaient cesser. Il ne sentait plus qu'à peine la pomme pourrie incrustée dans son dos ni l'inflammation des parties environnantes, maintenant recouvertes d'une fine poussière. Il pensa à sa famille avec une tendresse émue[1]. L'idée qu'il n'avait plus qu'à disparaître était, si possible, plus arrêtée encore dans son esprit que dans celui de sa sœur. Il resta dans cet état de méditation vide et paisible jusqu'au moment où l'horloge du clocher sonna trois heures. Il vit encore, devant sa fenêtre, le jour arriver peu à peu. Puis sa tête retomba malgré lui et ses narines laissèrent faiblement passer son dernier souffle.

Lorsque la femme de peine arriva au petit matin — bien qu'on le lui ait défendu, elle claquait les portes si violemment dans son excès de vigueur et de précipitation qu'il n'y avait plus moyen de dormir dans toute la maison dès qu'elle était là —, elle ne trouva tout d'abord

1. Voir, dans un passage un peu analogue du *Verdict* : « Chers parents, je vous ai pourtant toujours aimés » (Folio classique nº 2017, p. 78).

rien de particulier, quand elle fit chez Gregor sa brève visite habituelle. Elle pensa qu'il faisait exprès de rester immobile et qu'il jouait à l'offensé, car elle lui prêtait tout l'esprit imaginable. Elle se trouvait tenir son grand balai à la main et elle essaya de le chatouiller depuis la porte. Comme elle n'avait toujours pas de succès, elle se fâcha et se mit à pousser plus fort ; et c'est seulement quand elle vit que Gregor se laissait déplacer sans opposer de résistance qu'elle se mit à y regarder de plus près. Elle eut vite fait de comprendre ce qui s'était passé ; elle ouvrit de grands yeux et se mit à siffler entre ses dents, mais ne s'attarda pas ; elle ouvrit la chambre à coucher, dont elle poussa violemment la porte, en criant à pleine voix dans l'obscurité : « Venez donc voir, la bête est crevée ; elle est là par terre, tout ce qu'il y a de crevée ! »

Le ménage Samsa se redressa dans le lit conjugal ; il dut d'abord se remettre de la frayeur que venait de leur causer la femme de peine, avant de comprendre ce qu'elle venait de leur annoncer. Mais ensuite, M. et Mme Samsa sortirent promptement de leur lit, chacun de son côté ; M. Samsa jeta la couverture sur ses épaules, Mme Samsa n'avait que sa chemise de nuit sur elle ; c'est dans cet appareil qu'ils entrèrent dans la chambre de Gregor. Entre-temps s'était ouverte aussi la porte du séjour, où Grete passait la nuit depuis l'emménagement des locataires ; elle était tout habillée, comme si elle n'avait pas dormi, ce que semblait indiquer aussi la pâleur de son visage. « Mort ? » dit Mme Samsa en levant les yeux d'un air interrogatif vers la femme de peine, bien qu'elle eût pu aisément le contrôler elle-même ou même le comprendre sans rien contrôler. « Et comment ! » dit la femme de peine, et, pour en administrer la preuve, elle déplaça encore d'un grand coup de balai le cadavre de Gregor. Mme Samsa fit mine de retenir le balai[1], mais ne termina pas son geste. « Eh bien ! » dit M. Samsa, « nous pouvons rendre grâce à Dieu. » Il se signa et les trois femmes suivirent son exemple. Grete, qui ne pouvait détourner ses regards du cadavre, dit : « Regardez comme il était maigre. Il y avait longtemps qu'il ne mangeait plus rien. La nourriture repartait comme elle était arrivée. » Le corps de Gregor était en effet tout à fait plat et sec ; on ne le remarquait guère que maintenant, où il n'était plus porté par ses petites pattes et où rien ne distrayait plus le regard.

« Viens un moment chez nous, Grete », dit Mme Samsa avec un sourire mélancolique, et Grete, non sans jeter encore un regard sur le cadavre, entra derrière ses parents dans leur chambre à coucher. La femme de peine ferma la porte

1. Dans les dernières pages d'*Un artiste de la faim*, on se débarrasse pareillement à coups de balai du cadavre du champion de jeûne.

et ouvrit grand la fenêtre. Malgré l'heure matinale, un peu de tiédeur se mêlait déjà à la fraîcheur de l'air. On approchait de la fin mars[1].

Les trois locataires sortirent de leur chambre et, d'un air étonné, cherchèrent du regard leur petit déjeuner ; on les avait oubliés. « Où est le déjeuner ? » demanda le monsieur du milieu à la femme de peine d'un air bougon. Mais celle-ci mit son doigt sur sa bouche et sans rien dire fit rapidement signe à ces messieurs d'entrer dans la chambre de Gregor. Ils entrèrent donc et les mains dans les poches de leurs vestons un peu usagés, ils restaient là, dans la pièce maintenant baignée de soleil, autour du cadavre de Gregor.

La porte de la chambre à coucher s'ouvrit, et M. Samsa apparut dans sa livrée, tenant d'un bras sa femme, de l'autre sa fille. Ils avaient tous un peu l'air d'avoir pleuré ; Grete appuyait de temps en temps son visage contre le bras de son père.

« Quittez tout de suite ma maison ! » dit M. Samsa en montrant la porte, sans abandonner le bras des deux femmes. « Que voulez-vous dire ? » demanda le monsieur du milieu, un peu décontenancé, avec un sourire doucereux. Les deux autres avaient croisé leurs mains derrière le dos et les frottaient sans cesse l'une contre l'au-

1. Dernière indication temporelle : le récit s'achève au début du printemps, au moment où la vie renaît.

tre, comme s'ils se réjouissaient de voir se déclencher une grande dispute qui, pensaient-ils, ne pouvait se terminer qu'à leur honneur. « Je l'entends exactement comme je viens de vous le dire », répondit M. Samsa et, les deux femmes et lui sur un rang, il avança dans la direction du locataire. Celui-ci resta d'abord immobile, les yeux rivés sur le sol, comme si les choses prenaient dans sa tête une tournure nouvelle : « Eh bien, soit ! nous partons », dit-il enfin, en levant les yeux vers M. Samsa, comme si, pris d'un accès d'humilité, il attendait pour cette décision une nouvelle approbation. M. Samsa se contenta de hocher la tête à plusieurs reprises en roulant de gros yeux. Sur quoi, le monsieur s'engagea en effet à grands pas dans le vestibule ; ses deux amis, qui s'étaient contentés depuis un bon moment d'écouter sans même bouger les mains, bondirent maintenant littéralement derrière lui, comme s'ils craignaient que M. Samsa ne les devance dans le vestibule, en coupant leur communication avec leur guide. Arrivés dans le vestibule, ils prirent tous trois leurs chapeaux au portemanteau, leurs cannes au porte-cannes, s'inclinèrent sans mot dire et quittèrent l'appartement. Pris d'une méfiance qui devait s'avérer tout à fait immotivée, M. Samsa et les deux femmes s'avancèrent jusqu'au palier ; appuyés sur la rampe, ils regardèrent les trois messieurs descendre lentement mais sans s'arrêter ; à chaque étage, ils disparaissaient à un certain tournant de la cage d'escalier pour reparaître quelques instants après ; à mesure qu'ils s'enfonçaient, l'intérêt que leur portait la famille Samsa diminuait peu à peu et lorsqu'ils furent croisés par un garçon boucher qui montait fièrement l'escalier, son panier sur la tête[1], M. Samsa et ses femmes quittèrent la rampe, l'air soulagé, et rentrèrent chez eux.

Ils décidèrent de consacrer la journée au repos et à la promenade ; ils avaient bien mérité ce congé, ils en avaient même absolument besoin. Ils s'assirent donc à la table et rédigèrent trois lettres d'excuse, M. Samsa à sa direction, Mme Samsa à son employeur et Grete à son chef de rayon. La femme de peine entra pendant qu'ils étaient en train d'écrire, pour déclarer que son travail du matin était terminé et qu'elle allait partir. Les trois se contentèrent d'abord de hocher la tête sans lever les yeux. Mais, comme elle ne partait toujours pas, ils finirent, non sans irritation, par la regarder. « Eh bien ? », demanda M. Samsa. La femme de peine restait dans la porte à sourire, comme si elle avait quelque chose de très agréable à leur dire, mais qu'elle

1. Petit détail vécu : Kafka écrit, le 24 octobre 1912, à Felice Bauer (c'est la 5e lettre qu'il lui adresse) : « Je viens de me cogner devant la porte contre le panier d'un garçon boucher et je sens encore au-dessus de l'œil gauche le contact du bois » (Pléiade, t. IV, p. 13).

attendait, pour le faire, d'avoir été dûment interrogée. La petite plume d'autruche, dressée presque verticalement sur son chapeau et qui avait toujours agacé M. Samsa depuis que la femme était à leur service, s'agitait en tous sens. « Alors, que voulez-vous donc ? » demanda Mme Samsa, à qui la femme de peine avait toujours témoigné plus de respect qu'aux autres. « C'est que », répondit-elle, en riant de si bonne humeur qu'elle n'était pas en mesure de continuer sa phrase, « c'est que vous n'avez pas besoin de vous faire du souci pour la chose d'à côté. C'est déjà réglé. » Mme Samsa et Grete se replongèrent dans leurs lettres, comme si elles voulaient continuer à écrire ; M. Samsa, en voyant que la femme de peine s'apprêtait à tout décrire en détail, lui fit un signe de la main pour l'inviter à s'en abstenir. Empêchée de raconter son histoire, elle se rappela tout à coup qu'elle était pressée, s'écria : « Adieu, tout le monde », d'un air manifestement vexé, fit brutalement demi-tour et quitta l'appartement en faisant claquer les portes avec un bruit effroyable.

« Ce soir, on la met à la porte », dit M. Samsa, sans obtenir de réponse ni de sa femme ni de sa fille, car la domestique semblait avoir à nouveau détruit leur tranquillité fraîchement reconquise. Elles se levèrent, allèrent à la fenêtre et restèrent là en se tenant enlacées. M. Samsa se tourna sur sa chaise, et resta un petit moment à les observer.

Puis il s'écria : « Venez donc par ici ! Laissez une fois pour toutes les vieilles histoires. Et tâchez de penser un peu à moi. » Les deux femmes lui obéirent aussitôt, allèrent le rejoindre, le cajolèrent et terminèrent rapidement leurs lettres.

Sur quoi, tous trois quittèrent ensemble l'appartement, ce qui ne leur était pas arrivé depuis des mois ; puis, ils prirent le tramway pour faire une excursion en banlieue. La voiture, dont ils étaient les seuls passagers, était inondée de soleil. Confortablement installés sur leurs sièges, ils discutèrent de leurs perspectives d'avenir et il apparut qu'à y bien regarder, elles n'étaient pas si mauvaises, car leurs situations à tous trois — c'était un point qu'ils n'avaient encore jamais abordé entre eux — étaient tout à fait convenables et surtout très prometteuses pour plus tard[1]. La meilleure façon d'améliorer leur sort le plus tôt possible était évidemment de déménager ; ils loueraient un appartement plus petit et meilleur marché, mais aussi plus pratique et mieux situé que leur logement actuel, qui avait été choisi par

1. Kafka était mécontent de la conclusion de son récit. Celle-ci est pourtant assez parallèle à la fin du *Verdict* : de même que la seule existence de Gregor Samsa avait paralysé la vie tout autour de lui et que sa mort rend à nouveau leur liberté à ceux qui l'entourent, de même la mort de Georg Bendemann brise les chaînes qui tenaient la vie prisonnière. D'où la dernière phrase de ce récit : « À ce moment-là, la circulation sur le pont était proprement incessante. »

Gregor. En parlant ainsi, M. et Mme Samsa remarquèrent presque simultanément en regardant leur fille, qui s'animait de plus en plus, que celle-ci, malgré tous les tourments qui avaient un peu fait pâlir ses joues, s'était beaucoup épanouie ces derniers temps et qu'elle était devenue une belle fille plantureuse. Ils se turent peu à peu et en se comprenant presque involontairement par un échange de regards, ils se prirent tous deux à penser qu'il serait bientôt temps de lui trouver un brave homme comme mari. Et ils crurent voir une confirmation de leurs nouveaux rêves et de leurs beaux projets, quand, au terme du voyage, la jeune fille se leva la première et étira son jeune corps.

DOSSIER

CHRONOLOGIE

1883-1924

1883 *3 juillet.* Naissance de Franz Kafka, à Prague. Son père, Hermann Kafka, qui possède un magasin de nouveautés très prospère, exerce sur la famille une tyrannie dont son fils aura fort à souffrir. Cinq autres enfants naîtront par la suite, mais seules trois sœurs survivront.

1893-1901 Études secondaires au lycée allemand de la Vieille Ville. On sait que Kafka commence à écrire dès ses années de lycée, mais il détruira tous ces manuscrits de jeunesse.

1901-1906 Études à l'Université de Prague. Après quelques hésitations, Kafka se décide pour des études de droit.

1904 Fin probable de la rédaction de la première version de *Description d'un combat.*

1906-1907 Rédaction du récit fragmentaire *Préparatifs de noce à la campagne* et de quelques-uns des textes brefs qui constitueront le recueil *Regard.*

1907-1908 Kafka aux *Assicurazioni generali*, à Prague.

1908 Première publication dans une revue : huit courtes pièces qui figureront plus tard dans le recueil *Regard.*
30 juillet : entrée à l'*Institut d'assurances contre les accidents du travail*, à Prague.

1909 Kafka commence à tenir assez régulièrement son Journal.

1911 Voyage avec Max Brod en Suisse, en Italie, puis à Paris.

1912 Rédaction d'une première version du roman qui deviendra *L'Oublié (L'Amérique).*
Septembre. Rencontre avec Felice Bauer, chez les parents de Max Brod. Kafka conçoit immédiatement le projet de l'épouser. Début d'une intense correspondance avec elle.
Nuit du 22 au 23 septembre. Rédaction du *Verdict.*
Novembre-décembre. Rédaction de *La Métamorphose.*

1913 *Juin.* Kafka, pour la première fois, demande à Felice Bauer de lui accorder sa main.

1914 Les difficultés s'accumulent dans les relations avec Felice Bauer. Grete Bloch, une amie de Felice, intervient comme intermédiaire.
1er juin. Fiançailles avec Felice Bauer, célébrées à Berlin.
12 juillet. Le « tribunal de l'Askanischer Hof » : rupture des fiançailles.
Automne. Rédaction du *Procès* et de *La Colonie pénitentiaire.*

1915 La correspondance avec Felice Bauer reprend, mais selon un rythme plus paisible. Différentes rencontres, la plupart décevantes, ont lieu entre Kafka et elle.

1917 Kafka rédige la plupart des récits qui constituent le recueil *Un médecin de campagne.*
Juillet. Secondes fiançailles avec Felice Bauer.
Nuit du 9 au 10 août. Hémoptysie.
Automne. Kafka part en convalescence à Zürau (au nord-ouest de la Bohême), chez sa sœur Ottla.
Décembre : rupture définitive avec Felice Bauer.

1918-1919 Période peu féconde littérairement. Nombreuses réflexions métaphysiques et religieuses dans les journaux intimes.

1919 *Novembre. Lettre à son père.*

1919-1920 Relations amoureuses avec Julie Wohryzek.

1920 Les séjours en sanatorium se multiplient ; Kafka ne peut que rarement accomplir son travail professionnel.
À partir d'avril. Correspondance avec Milena Jesenská, la traductrice de Kafka en tchèque.

1922 Rédaction du *Château* et de quelques-uns des derniers récits, comme *Un artiste de la faim.*

1923 Rencontre avec Dora Dymant, qui sera la compagne de Kafka pendant ses derniers mois.
Rédaction du *Terrier.*

1924 Rédaction de *Joséphine la cantatrice.*
3 juin. Mort de Kafka au sanatorium de Kierling, près de Vienne.
11 juin. Enterrement de Kafka à Prague.

BIBLIOGRAPHIE SOMMAIRE

La bibliographie de Kafka est si abondante et si compliquée qu'il faut se borner ici aux plus brèves indications.

Quelques ouvrages d'ensemble ont été consacrés à Kafka. Ce sont :

Wilhelm Emrich : *Franz Kafka*, Bonn, 1958.

Heinz Politzer : *Franz Kafka, der Künstler*, Francfort, 1965 (une première édition avait paru sous le titre *Franz Kafka. Parable and Paradox*, Cornell University Press, 1962).

Marthe Robert : *Seul comme Franz Kafka*, Paris, 1985 (rééd. 1995).

Walter H. Sokel : *Franz Kafka. Tragik und Ironie*, Munich-Vienne, 1964.

On ajoutera à ces études l'édition de Kafka due à l'auteur de la présente édition dans la Bibliothèque de la Pléiade :

Œuvres complètes, édition de Claude David, 4 tomes, 1974-1989 (*La Métamorphose* figure dans le tome II).

Et, toujours de ce même auteur, on se reportera à :

La Métamorphose et autres récits (Tous les textes parus du vivant de Kafka, I), Gallimard, « Folio classique » n° 2017, 1989 (2e éd. 1990).

Un artiste de la faim. À la colonie pénitentiaire et autres récits (Tous les textes parus du vivant de Kafka, II), Gallimard, « Folio classique » n° 2191, 1990.

La Métamorphose, Gallimard, « Folio bilingue » nº 14, 1991.

On s'aidera aussi de :

Hartmut Binder : *Kafka*. Kommentar zu sämtlichen Erzählungen, Munich, 1975.

La biographie de Klaus Wagenbach (*Franz Kafka, eine Biographie seiner Jugend, 1883-1912*, Berne, 1958 ; trad. fr. : *Franz Kafka : années de jeunesse*, Paris, 1967) s'arrête en 1912, avant la rédaction de *La Métamorphose.*

Deux autres biographies complètes ont paru depuis lors. L'une est due à l'auteur du présent volume :

Claude David : *Franz Kafka*, Paris, 1989.

Une autre biographie, plus romancée, a été écrite par :

Pietro Citati : *Kafka*, trad. fr., Paris, 1989.

Sur *La Métamorphose*, on trouvera des indications utiles dans certaines études :

E. Edel : « Franz Kafka *Die Verwandlung*. Eine Auslegung », *Wirkendes Wort*, 1957-1958.

P. L. Landsberg : « Kafka et *La Métamorphose* », *Esprit*, 1938.

F. D. Luke : « *The Metamorphosis* », *Franz Kafka Today*, Madison, 1958.

C. Schlingmann : « *Die Verwandlung* », *Interpretationen zu Franz Kafka*, Munich, 1973.

J. Schubinger : *Franz Kafka, « Die Verwandlung ». Eine Interpretation*, Zurich, 1969.

C. Thiébaut : La Métamorphose *et autres récits de Franz Kafka*, Gallimard, « Foliothèque » nº 9, 1991.

B. von Wiese : « Franz Kafka, *Die Verwandlung* », *Die deutsche Novelle von Goethe bis Kafka*, II, 1962.

On retiendra enfin :

C. Thiébaut · *Les métamorphoses de Franz Kafka*, Découvertes Gallimard, 1996.

DU MÊME AUTEUR

Dans la même collection

LE PROCÈS. *Préface de Claude David. Traduction d'Alexandre Vialatte*

LA MÉTAMORPHOSE et autres récits (Tous les textes parus du vivant de Kafka, I). *Préface et traduction de Claude David.*

UN ARTISTE DE LA FAIM, À LA COLONIE PÉNITENTIAIRE, et autres récits (Tous les textes parus du vivant de Kafka, II). *Préface et traduction de Claude David.*

COLLECTION FOLIO

Dernières parutions

3794 Luigi Pirandello	*Première nuit et autres nouvelles.*
3795. Laure Adler	*À ce soir.*
3796. Martin Amis	*Réussir.*
3797. Martin Amis	*Poupées crevées.*
3798. Pierre Autin-Grenier	*Je ne suis pas un héros.*
3799. Marie Darrieussecq	*Bref séjour chez les vivants.*
3800. Benoît Duteurtre	*Tout doit disparaître.*
3801. Carl Friedman	*Mon père couleur de nuit.*
3802. Witold Gombrowicz	*Souvenirs de Pologne.*
3803. Michel Mohrt	*Les Nomades.*
3804. Louis Nucéra	*Les Contes du Lapin Agile.*
3805. Shan Sa	*La joueuse de go.*
3806. Philippe Sollers	*Éloge de l'infini.*
3807. Paule Constant	*Un monde à l'usage des Demoiselles.*
3808. Honoré de Balzac	*Un début dans la vie.*
3809. Christian Bobin	*Ressusciter.*
3810. Christian Bobin	*La lumière du monde.*
3811. Pierre Bordage	*L'Évangile du Serpent.*
3812. Raphaël Confiant	*Brin d'amour.*
3813. Guy Goffette	*Un été autour du cou.*
3814. Mary Gordon	*La petite mort.*
3815. Angela Huth	*Folle passion.*
3816. Régis Jauffret	*Promenade.*
3817. Jean d'Ormesson	*Voyez comme on danse.*
3818. Marina Picasso	*Grand-père.*
3819. Alix de Saint-André	*Papa est au Panthéon.*
3820. Urs Widmer	*L'homme que ma mère a aimé.*
3821. George Eliot	*Le Moulin sur la Floss.*
3822. Jérôme Garcin	*Perspectives cavalières.*
3823. Frédéric Beigbeder	*Dernier inventaire avant liquidation.*
3824. Hector Bianciotti	*Une passion en toutes Lettres.*

3825.	Maxim Biller	*24 heures dans la vie de Mordechaï Wind.*
3826.	Philippe Delerm	*La cinquième saison.*
3827.	Hervé Guibert	*Le mausolée des amants.*
3828.	Jhumpa Lahiri	*L'interprète des maladies.*
3829.	Albert Memmi	*Portrait d'un Juif.*
3830.	Arto Paasilinna	*La douce empoisonneuse.*
3831.	Pierre Pelot	*Ceux qui parlent au bord de la pierre (Sous le vent du monde, V).*
3832.	W.G Sebald	*Les émigrants.*
3833.	W.G Sebald	*Les Anneaux de Saturne.*
3834.	Junichirô Tanizaki	*La clef.*
3835	Cardinal de Retz	*Mémoires.*
3836	Driss Chraïbi	*Le Monde à côté.*
3837	Maryse Condé	*La Belle Créole.*
3838	Michel del Castillo	*Les étoiles froides.*
3839	Aïssa Lached-Boukachache	*Plaidoyer pour les justes.*
3840	Orhan Pamuk	*Mon nom est Rouge.*
3841	Edwy Plenel	*Secrets de jeunesse.*
3842	W. G. Sebald	*Vertiges.*
3843	Lucienne Sinzelle	*Mon Malagar.*
3844	Zadie Smith	*Sourires de loup.*
3845	Philippe Sollers	*Mystérieux Mozart.*
3846	Julie Wolkenstein	*Colloque sentimental.*
3847	Anton Tchékhov	*La Steppe. Salle 6. L'Évêque.*
3848	Alessandro Baricco	*Châteaux de la colère.*
3849	Pietro Citati	*Portraits de femmes.*
3850	Collectif	*Les Nouveaux Puritains.*
3851	Maurice G. Dantec	*Laboratoire de catastrophe générale.*
3852	Bo Fowler	*Scepticisme & Cie.*
3853	Ernest Hemingway	*Le jardin d'Éden.*
3854	Philippe Labro	*Je connais gens de toutes sortes.*
3855	Jean-Marie Laclavetine	*Le pouvoir des fleurs.*
3856	Adrian C. Louis	*Indiens de tout poil et autres créatures.*
3857	Henri Pourrat	*Le Trésor des contes.*
3858	Lao She	*L'enfant du Nouvel An.*

3859	Montesquieu	*Lettres Persanes.*
3860	André Beucler	*Gueule d'Amour.*
3861	Pierre Bordage	*L'Évangile du Serpent.*
3862	Edgar Allan Poe	*Aventure sans pareille d'un certain Hans Pfaal.*
3863	Georges Simenon	*L'énigme de la* Marie-Galante.
3864	Collectif	*Il pleut des étoiles...*
3865	Martin Amis	*L'état de L'Angleterre.*
3866	Larry Brown	*92 jours.*
3867	Shûsaku Endô	*Le dernier souper.*
3868	Cesare Pavese	*Terre d'exil.*
3869	Bernhard Schlink	*La circoncision.*
3870	Voltaire	*Traité sur la Tolérance.*
3871	Isaac B. Singer	*La destruction de Kreshev.*
3872	L'Arioste	*Roland furieux I.*
3873	L'Arioste	*Roland furieux II.*
3874	Tonino Benacquista	*Quelqu'un d'autre.*
3875	Joseph Connolly	*Drôle de bazar.*
3876	William Faulkner	*Le docteur Martino.*
3877	Luc Lang	*Les Indiens.*
3878	Ian McEwan	*Un bonheur de rencontre.*
3879	Pier Paolo Pasolini	*Actes impurs.*
3880	Patrice Robin	*Les muscles.*
3881	José Miguel Roig	*Souviens-toi, Schopenhauer.*
3882	José Sarney	*Saraminda.*
3883	Gilbert Sinoué	*À mon fils à l'aube du troisième millénaire.*
3884	Hitonari Tsuji	*La lumière du détroit.*
3885	Maupassant	*Le Père Milon.*
3886	Alexandre Jardin	*Mademoiselle Liberté.*
3887	Daniel Prévost	*Coco belles-nattes.*
3888	François Bott	*Radiguet. L'enfant avec une canne.*
3889	Voltaire	*Candide ou l'Optimisme.*
3890	Robert L. Stevenson	*L'Étrange Cas du docteur Jekyll et de M. Hyde.*
3891	Daniel Boulanger	*Talbard.*
3892	Carlos Fuentes	*Les années avec Laura Díaz.*
3894	André Dhôtel	*Idylles.*
3895	André Dhôtel	*L'azur.*
3896	Ponfilly	*Scoops.*

Composition Nord Compo.
Impression Bussière Camedan Imprimeries
à Saint-Amand (Cher), le 16 octobre 2003.
Dépôt légal : octobre 2003.
1er dépôt légal dans la collection : avril 2000.
Numéro d'imprimeur : 035012/1.
ISBN 2-07-041437-X./Imprimé en France.

128043